中华人民共和国国家标准

纤维增强硅酸钙板工厂设计规范

Code for design of

fibre reinforced calcium silicate board plant

GB 51107 - 2015

主编部门：国家建筑材料工业标准定额总站

批准部门：中华人民共和国住房和城乡建设部

施行日期：2016年2月1日

中国计划出版社

2015 北 京

中华人民共和国国家标准

纤维增强硅酸钙板工厂设计规范

GB 51107-2015

☆

中国计划出版社出版

网址：www.jhpress.com

地址：北京市西城区木樨地北里甲11号国宏大厦C座3层

邮政编码：100038　电话：(010) 63906433（发行部）

新华书店北京发行所发行

北京市科星印刷有限责任公司印刷

850mm×1168mm　1/32　4.125印张　103千字

2016年1月第1版　2016年1月第1次印刷

☆

统一书号：1580242·805

定价：25.00元

中华人民共和国住房和城乡建设部公告

第 816 号

住房城乡建设部关于发布国家标准《纤维增强硅酸钙板工厂设计规范》的公告

现批准《纤维增强硅酸钙板工厂设计规范》为国家标准，编号为 GB 51107—2015，自 2016 年 2 月 1 日起实施。其中，第 7.2.14、10.2.15、11.3.5、16.8.4 条为强制性条文，必须严格执行。

本规范由我部标准定额研究所组织中国计划出版社出版发行。

中华人民共和国住房和城乡建设部

2015 年 5 月 11 日

前　言

本规范是根据住房城乡建设部《关于印发〈2013年工程建设标准规范制订修订计划〉的通知》(建标〔2013〕6号)的要求,由武汉建筑材料工业设计研究院有限公司和国家建筑材料工业标准定额总站会同有关单位共同编制完成的。

本规范共分16章和6个附录。主要技术内容包括:总则,术语,基本规定,总体规划与厂址选择,总图运输,原料,生产工艺,电气及自动化,建筑与结构,给水与排水,蒸汽动力,采暖、通风与空气调节,辅助生产设施,节能,环境保护和职业安全卫生等。

本规范中以黑体字标志的条文为强制性条文,必须严格执行。

本规范由住房城乡建设部负责管理和对强制性条文的解释,国家建筑材料工业标准定额总站负责日常管理,武汉建筑材料工业设计研究院有限公司负责具体技术内容的解释。本规范在执行过程中如发现有需要修改和补充之处,请将意见和有关资料寄至武汉建筑材料工业设计研究院有限公司(地址:湖北省武汉市光谷大道77号光谷金融港A12栋;邮政编码:430074),以供今后修订时参考。

本规范主编单位、参编单位、参加单位、主要起草人和主要审查人:

主编单位:武汉建筑材料工业设计研究院有限公司
国家建筑材料工业标准定额总站

参编单位:江西宜春金特建材实业有限公司
广东新元素板业有限公司
张家港新光机械制造有限公司

参加单位:中国混凝土与水泥制品协会硅酸钙水泥板分会

浙江汉德邦建材有限公司
贵州联和新型建材有限公司
浙江海龙新型建材有限公司
宜昌弘洋新材料有限公司
昆明华城兴建材有限公司

主要起草人：姚元君　施敬林　徐　征　吴卫平　夏惠凤
彭　锋　伍永基　张国华　任　凭　陈　东
张金波　蒋　伟　杨长林　谈晓宏　殷中华

主要审查人：王海燕　伍国瑞　史志强　章建阳　龚荣嘉
陈英玲　陈远刚　邵长高　刘文华

目　　次

Contents

1 总　　则

1.0.1 为在纤维增强硅酸钙板工厂设计中，做到安全可靠、技术先进、经济合理、保护环境，促进结构优化升级与资源综合利用、清洁生产、节能减排，制定本规范。

1.0.2 本规范适用于新建、扩建和改建纤维增强硅酸钙板工厂的设计。

1.0.3 纤维增强硅酸钙板工厂设计应因地制宜，选用先进、适用、经济、可靠、节能的生产工艺与装备，设计方案应经过多方案的综合比较；扩建、改建项目应充分利用原有生产及辅助设施。

1.0.4 纤维增强硅酸钙板工厂的设计除应执行本规范外，尚应符合国家现行有关标准的规定。

2 术　语

2.0.1 流浆法　flow-on process

一种利用流浆箱将料浆悬浮液均匀地铺在运行的毛布上，形成连续的料浆层，经脱水并连续缠绕到成型筒上压实制得料坯的生产工艺。

2.0.2 抄取法　Hatscheks process

一种利用网箱中旋转网轮的内外压差将料浆悬浮液过滤，在网轮上形成初料层传递到毛布，经脱水并连续缠绕到成型筒上压实制得料坯的生产工艺。

2.0.3 制浆周期　slurry preparation time cycle

连续生产时，从原料开始加入打浆机中至下一轮原料开始加入打浆机的时间。

2.0.4 蒸压周期　autoclaving time cycle

连续生产时，从板坯进入蒸压釜开始至下一釜板坯进入蒸压釜开始的时间。

2.0.5 预养　pre-curing

堆垛后的板坯在一定温度、湿度下持续硬化，达到要求强度的过程。

3 基本规定

3.0.1 纤维增强硅酸钙板工厂设计时，建设单位应提供下列基础资料：

1 已批准的可行性研究报告；

2 原料工艺性能试验报告；

3 主管部门同意征用建设用地及规划的书面文件；

4 环境保护部门对环评报告的批复意见；

5 主管部门对节能评价报告、安全评价报告的批复意见；

6 初步设计阶段还需提供地方概算定额、建筑材料市场价格、相关技术经济资料、厂区地形图(1∶1000～1∶2000)；

7 施工图阶段还需提供厂区工程地质勘察报告、主要设备的总图和基础条件图、主要设备的安装要求、厂区地形图(1∶500)。

3.0.2 纤维增强硅酸钙板工厂的设计规模应根据产品种类、原料来源、市场需求等确定。单条生产线设计规模划分，应符合表3.0.2的规定。

表3.0.2 纤维增强硅酸钙板工厂单条生产线设计规模划分

规模类型	年产量(万 m^2/a)	日产量(万 m^2/d)
大型	≥600	≥2
中型	300～600	1～2
小型	≤300	≤1

注：设计规模按产品规格为2440mm×1220mm×6mm(加压前)折算，全年工作天数按300d计，每天工作时间按22.5h计。

3.0.3 单条生产线设计规模应按下式计算：

$$G=\frac{K_1\times K_2\times K_3\times T\times S\times H\times P}{10000\times 6} \tag{3.0.3}$$

式中：G——设计规模（万 m^2/a）；

K_1——全年工作天数（d，按 300d 计）；

K_2——每天工作班数；

K_3——每班工作时间（h）；

T——堆垛产量（张/h）；

S——单张板材面积（m^2）；

H——板材厚度（mm）；

P——产品合格率（%）。

4 总体规划与厂址选择

4.1 总 体 规 划

4.1.1 纤维增强硅酸钙板工厂的总体规划应满足区域规划、当地经济与社会发展规划、产业园区总体规划的要求，优先利用荒地劣地。

4.1.2 纤维增强硅酸钙板工厂的总体规划应与周边的交通、水、电基础设施，环境保护设施，生活服务设施等协调，并应利用现有配套协作条件。

4.1.3 纤维增强硅酸钙板工厂的总体规划应符合现行国家标准《工业企业厂界环境噪声排放标准》GB 12348、《环境空气质量标准》GB 3095、《污水综合排放标准》GB 8978 的有关规定，并应满足当地管理部门对工业企业环境、卫生的要求。

4.2 厂 址 选 择

4.2.1 厂址选择应对建设规模、原料来源、产品流向、交通运输、供电、供水、场地现有设施、环境保护、施工条件等因素进行综合技术经济比较后确定。

4.2.2 厂址应满足工程建设需要的工程地质和水文地质条件。

4.2.3 厂址应位于城镇和居住区全年最小频率风向的上风侧，不应选择窝风地段。

4.2.4 工厂选址时，厂外运输方式应根据当地运输条件确定，厂外道路与城镇及居住区公路的连接应平顺短捷，外部运输条件及运输方式应满足运输大件设备的要求。

5 总图运输

5.1 一般规定

5.1.1 总图运输设计应根据城市规划、生产规模、工艺流程、建设内容、交通运输、节能环保、安全卫生和厂区发展等要求，结合场地自然条件进行技术经济比较确定。

5.1.2 总平面设计应遵守国家土地政策和工业建设用地规定，并应满足下列要求：

1 总平面设计应充分利用地形、地势、工程地质、水文地质等条件，合理布置建(构)筑物等有关设施；

2 总平面设计应合理地组织物流和人流；

3 扩建、改建的工厂总平面设计应充分利用现有场地和设施。

5.1.3 建(构)筑物等设施应采用联合、集中布置，厂区功能分区及各项设施的布置应紧凑、合理。

5.1.4 总平面设计宜进行方案技术经济比较，并应列出下列主要技术经济指标：

1 厂区用地面积(m^2)；

2 建(构)筑物用地面积(m^2)；

3 露天设备用地面积(m^2)；

4 露天操作场用地面积(m^2)；

5 建筑系数(%)；

6 道路及广场用地面积(m^2)；

7 绿化占地面积(m^2)；

8 绿地率(%)；

9 土石方工程量(m^3)；

10 容积率(%);

11 生产管理及生活服务设施用地面积占项目总用地面积比重(%)。

5.2 总平面布置

5.2.1 总平面布置应合理划分功能区,各项设施的布置应紧凑协调、外形规整。

5.2.2 大型建(构)筑物和生产装备等应布置在土质均匀、地基承载能力大的地段。较大、较深的地下建(构)筑物应布置在地下水位较低的地段。

5.2.3 成品库布置应符合下列规定:

1 成品库应满足成品储存及转运的要求;

2 成品库长度和宽度应根据生产工艺布置和成品储存量的要求确定;

3 成品库应设置宽度不小于4m运输通道;

4 成品库宜靠近主生产车间成品工段布置。

5.2.4 变电所布置应符合下列规定:

1 变电所宜靠近工厂负荷中心;

2 变电所应便于高压线的进线和出线;

3 变电所应避免设在有强烈振动的设施附近;

4 变电所应避免布置在多尘、有腐蚀性气体和有水雾的场所;

5 变电所应位于多尘、有腐蚀性气体场所全年最小频率风向的下风侧和有水雾场所冬季主导风向的上风侧。

5.2.5 锅炉房布置应符合下列规定:

1 锅炉房应靠近热负荷中心布置;

2 锅炉房与邻近建(构)筑物之间的距离应符合现行国家标准《建筑设计防火规范》GB 50016及本规范附录A的有关规定。

5.2.6 压缩空气站布置应符合下列规定:

1 压缩空气站应位于空气洁净地段，应避开有爆炸危险、腐蚀性物质、有害气体及粉尘等场所；

2 压缩空气站不应布置在有潜在爆炸危险、腐蚀性物质、有害气体及粉尘等场所的全年最小频率风向的上风侧；

3 压缩空气站应有良好的通风和采光。

5.2.7 机电维修车间应布置在生产区附近。

5.2.8 地磅站的布置应位于有较多称量车辆行驶方向道路一侧，不得影响道路的正常行车。

5.2.9 生产管理及生活服务设施应位于厂区全年主导风向的上风侧，并应布置在便于生产管理、环境洁净、靠近主要人流出入口、与城镇和居住区交通便利的地点。

5.2.10 原料储存区应布置在厂区最小频率风向的上风侧。

5.2.11 厂区出入口的设置应根据生产规模、总体规划、厂区用地面积及总平面设计等因素综合确定，出入口的数量不宜少于2个。

5.2.12 围墙至建筑物、道路和排水明沟的最小间距应符合表5.2.12的规定。

表5.2.12 围墙至建筑物、道路和排水明沟的最小间距

名　　称	至围墙最小间距(m)
建筑物	5.00
道路	1.00
排水明沟	1.50

注：1 围墙自中心线算起；建筑物自最外墙突出边缘算起；道路为城市型时，自路面边缘算起；道路为公路型时，自路肩边缘算起；排水明沟自边缘算起。

2 当设有消防通道时，围墙至建筑物的间距不应小于6m。

5.3 交通运输

5.3.1 厂内道路布置应符合下列规定：

1 厂内道路应满足生产、运输、安装、检修、消防、安全及环境卫生的要求；

2 厂内道路应与厂区内主要建筑物轴线平行或垂直，且呈环形布置；

3 厂内道路在个别边缘地段尽头式布置时，应设回车场或回车道；

4 厂内道路的路面标高应与竖向设计相协调，并应与雨水排除相适应；

5 厂内道路的路面标高应低于附近车间室外散水坡脚标高；

6 厂内道路应与厂外道路连接方便、短捷；

7 厂房周围宜设置环形消防车道，当有困难时，可沿厂房的两个长边设置消防车道；

8 建设工程施工道路应与永久性道路相结合。

5.3.2 厂内道路路面结构设计应根据交通量、路基因素、道路性质、当地材料、施工及养护维修等条件，优选出经济合理的路面结构组合类型。

5.3.3 厂内道路的布置应利于人货分流，路面宽度应根据车辆通行和人行需要确定，并应符合现行国家标准《厂矿道路设计规范》GBJ 22 的有关规定。

5.3.4 厂内道路交叉口路面内缘转弯半径应根据行驶车辆的类别确定，并应符合表 5.3.4 的规定。

表 5.3.4 厂内道路交叉口路面内边缘转弯半径

道路类别	路面内边缘转弯半径(m)		
	主干道	次干道	支道
主干道	12～15	9～12	6～9
次干道	9～12	9～12	6～9
支道及车间引道	6～9	6～9	6～9

注：1 当场地受限制时，表列数值(6m 半径除外)可适当减少；

2 供消防车通行单车道路面内缘转弯半径不得小于 9m。

5.3.5 厂内道路设计应满足基建、检修期间大件设备运输与吊装的要求。

5.3.6 生产装置和建筑物的主要出入口,应根据需要设置与出入口(或大门)宽度相适应的引道或人行道,并应就近与厂内道路连接。

5.3.7 消防车道布置应符合下列规定:

1 消防车道应与厂区道路连通,且距离应短捷;

2 消防车道的宽度不应小于4m。

5.3.8 厂区内人行道布置应符合下列规定:

1 人行道的宽度不应小于0.75m,沿主干道布置时可为1.5m,超过1.5m时应按0.5m倍数递增;

2 人行道边缘至建筑物外墙的净距,当屋面为无组织排水时可为1.5m,当屋面为有组织排水时,应根据具体情况确定。

5.3.9 厂区内道路交叉布置时应符合下列规定:

1 厂区内道路宜采用平面交叉方式,并应力求正交;

2 平面交叉点应设置在直线路段;

3 当需要斜交时,交叉角不宜小于45°。

5.3.10 厂内主、次干道平面交叉处的纵坡应符合现行国家标准《厂矿道路设计规范》GBJ 22的有关规定。

5.3.11 厂内道路边缘至建(构)筑物的最小距离应符合现行国家标准《工业企业总平面设计规范》GB 50187的有关规定。

5.4 竖向设计

5.4.1 竖向设计应与总平面设计同时进行,且应与厂区外现有或规划的运输线路、排水系统、周围场地标高等相协调。

5.4.2 竖向设计方案应根据生产、运输、防洪、排水、管线敷设及土(石)方工程的要求,结合地形和地质条件进行综合比较后确定。

5.4.3 竖向设计应符合下列规定:

1 应满足生产、运输要求,并应有利于土地节约利用;

2 厂区不应被洪水、潮水及内涝水淹没;

3 应合理利用自然地形,减少土(石)方、建(构)筑物基础、护坡和挡土墙等的工程量。

5.4.4 确定场地设计标高时，除应保证场地不被洪水、潮水和内涝水淹没外，还应符合下列规定：

1 场地设计标高应与城镇、相邻企业和居住区的标高相适应；

2 场地设计标高应具备方便生产联系、满足运输及排水设施的技术条件；

3 场地设计标高应在满足本条第1款及第2款要求的前提下，减少土(石)方工程量。

5.4.5 场地的平整坡度应有利于排水，最大坡度应根据土质、植被、铺砌、运输等条件确定。

5.4.6 工业建筑的室内地坪标高应高出室外场地地面设计标高0.15m～0.20m；民用建筑的室内地坪标高应高出室外场地地面设计标高0.30m～0.60m。

5.4.7 厂区出入口的路面标高应高出厂外路面标高。

5.5 防洪工程

5.5.1 当厂区临近江、河、湖水系，有被洪水淹没可能时，或靠近山坡，有被山洪冲袭可能时，应设置防洪工程。

5.5.2 当防洪堤内的积水形成内涝时，可向湖、塘、沟谷等低地自流排除；当内涝水不能自流排除时，应使用机械排涝。

5.5.3 山区建厂时应在靠山坡一侧设置防洪沟。

5.6 管线综合布置

5.6.1 管线综合布置应与总平面设计、竖向设计和绿化布置相结合，统一规划。管线之间、管线与建(构)筑物、道路等之间在平面及竖向上应相互协调、紧凑合理。

5.6.2 地下管线、地上管线与建(构)筑物的最小水平净距应符合现行国家标准《工业企业总平面设计规范》GB 50187的有关规定；

湿陷性黄土地区应符合现行国家标准《湿陷性黄土地区建筑规范》GB 50025 的有关规定。

5.6.3 地上管线的敷设可采用管架、低架、管墩及建(构)筑物支撑方式。

5.6.4 管架的布置应符合下列规定:

1 管架的净空高度及基础位置不应影响交通运输、消防及检修;

2 管架不宜妨碍建筑物的自然采光与通风。

5.7 绿化设计

5.7.1 绿化设计应根据环境保护及厂容、景观的要求,结合当地自然条件、植物生态习性、抗污性能和苗木来源,合理确定各类植物的比例及配置方式。

5.7.2 绿化布置应符合下列规定:

1 绿化布置应在非建筑地段及零星空地绿化;

2 绿化布置应利用管架、栈桥、架空线路等设施的下面及地下管线带上面的场地绿化;

3 绿化布置应满足生产、检修、运输、安全、卫生及防火要求,不应与建(构)筑物及地下设施相互影响。

5.7.3 绿化布置应以下列地段为重点:

1 厂内主干道及主要出入口两侧;

2 生产管理区周围;

3 生产车间及辅助建筑物周围;

4 散发粉尘及产生噪声的生产车间及堆场周围;

5 受雨水冲刷的地段;

6 厂区生活服务设施周围;

7 厂区围墙内周边地带。

5.7.4 受风沙侵袭的企业应在厂区受风沙侵袭季节主导风向的上风侧设置半通透结构的防风林带。

5.7.5 灰渣场、原料和燃料堆场应视全年主导风向和对环境的污染情况设置紧密结构的防护林带。

5.7.6 高噪声源车间周围的绿化宜采用减噪力强的乔木与灌木，并应形成复层混交林地。

5.7.7 粉尘大的车间周围应种植滞尘效果好的乔木与灌木，并应形成绿化带。

5.7.8 在区域主导风向的上风侧应布置透风绿化带。在区域主导风向的下风侧应布置不透风绿化带。

5.7.9 生产管理区和主要出入口的绿化布置应具有较好的观赏及美化效果。

5.7.10 道路两侧宜布置行道树。道路弯道及交叉口附近的绿化布置应符合现行国家标准《厂矿道路设计规范》GBJ 22 中行车视距的规定。

5.7.11 在有条件的生产车间或建筑物墙面、挡土墙顶及护坡等地段宜布置垂直绿化。

5.7.12 树木与建(构)筑物及地下管线的最小间距应符合现行国家标准《工业企业总平面设计规范》GB 50187 的有关规定。

6 原 料

6.1 一 般 规 定

6.1.1 原料的选择应遵循就近取材、因地制宜的原则，并应合理优化配置。

6.1.2 应根据原料情况，选用适宜的工艺。

6.1.3 生产过程中产生的硬废料，应经过处理后按合适比例重新投入生产线。

6.2 原料要求及配比

6.2.1 纤维增强硅酸钙板生产原料可选用多种可行原料进行配比。

6.2.2 主要原料的技术要求应符合下列规定：

1 砂应符合现行行业标准《硅酸盐建筑制品用砂》JC/T 622 的有关规定；

2 粉煤灰应符合现行行业标准《硅酸盐建筑制品用粉煤灰》JC/T 409 的有关规定；

3 消石灰应符合现行行业标准《建筑消石灰》JC/T 481 中钙质消石灰粉的有关规定；

4 水泥应符合现行国家标准《通用硅酸盐水泥》GB 175 的有关规定；

5 纸浆应符合现行国家标准《未漂白硫酸盐针叶木浆》GB/T 24321 中“合格品”的有关规定；

6 水质应符合现行行业标准《混凝土用水标准》JGJ 63 中“混凝土拌合用水”的有关规定；

7 当采用其他原料生产纤维增强硅酸钙板时，产品应在工艺性能试验符合现行行业标准《水泥制品工艺技术规程　第7部分：硅酸钙板/纤维水泥板》JC/T 2126.7各项性能指标规定的基础上设计使用。

6.2.3　原料配合比设计宜在进行原料试验后确定，也可做工业性试验。

6.3　物料平衡

6.3.1　物料平衡计算应符合下列规定：

1　物料平衡计算应以成品产量为基准，各种原料的消耗量均应以干基作为计算基础，并应计入生产损耗；

2　各种原料消耗量的计算中，宜将干基消耗量换算为湿基消耗量，再计算出每小时、每天和每年的干、湿料需要量。

6.3.2　计算物料平衡的原始资料应包括下列内容：

1　设计规模、产品方案及工作制度；

2　原料配合比；

3　板材干密度；

4　原料损耗系数、含水率及合格率等。

6.3.3　各种原料的单位用量应统一按下式计算：

$$W_i = \frac{(Q_g - B) \times H \times G_i}{1000 \times P} \tag{6.3.3}$$

式中：W_i——各种原料的单位消耗量(kg/m^2)；

Q_g——板材干密度(kg/m^3)；

B——板材中的化学结合水含量(kg/m^3)；

H——板材厚度(mm)；

G_i——各种原料的配合比(%)；

P——合格率(%)。

7 生 产 工 艺

7.1 一 般 规 定

7.1.1 工艺设计应符合下列规定：

1 工艺方案和主机设备应根据产品方案、设计规模、原料性能以及建厂条件等因素综合比较后确定；

2 工艺设计中应采用有利于提高资源综合利用水平的新技术、新工艺、新设备；

3 在满足产品质量和产量要求的前提下，应减少工艺中转环节，不应有交叉流程、逆流程；

4 工艺设计中应选择生产可靠、环境污染小、能耗低、管理维修方便、节省投资的工艺方案和设备；

5 设备选型时应留有10％～20％的储备能力，同类辅机设备应统一型号。

7.1.2 工艺布置应符合下列规定：

1 工艺布置应满足工艺流程的要求，设备选型应根据设计规模和具体工艺的特点确定；

2 工艺布置应在平面和空间布置上满足施工、安装、操作、维修、监测和通行的要求；

3 物料磨细、纸浆制备宜集中布置，并宜与其他生产工段隔开；

4 重荷载设备应布置在厂区地质条件相对较好的区域。

7.1.3 各生产工段的生产班次应根据各工段之间的相互关系、与外部条件相联系的情况确定，主要生产工段工作制度宜符合表7.1.3的规定。

表 7.1.3 主要生产工段工作制度

工段名称	日工作班(班)	日工作时间(h)
纸浆制备	2～3	16～24
砂磨细	2～3	16～24
制板与堆垛	3	24
加压、预养、脱模	3	24
蒸压养护	3	24
烘干、砂光、磨边倒角	2～3	16～24
包装与堆放	3	24
化验与检测	2～3	16～24
机电维修	3	24

7.1.4 主生产车间检修设施的配置应符合下列规定：

1 在主要设备和较大部件处应设置检修设施；

2 应按所需检修部件的重量、厂房空间等条件配备适宜的检修设施；

3 车间内应设置检修平台、检修门(孔)，并应留有检修空间、检修通道；

4 制板机、接坯机、堆垛机及脱模机宜设置检修行车。

7.1.5 物料输送设计应符合下列规定：

1 物料输送设备的选型，应根据输送物料的性质、输送能力、输送距离、输送高度、工艺布置等因素确定；

2 输送设备的能力应大于实际最大输送量；

3 物料竖向输送时应力求降低高度，水平输送时应力求缩短距离；

4 物料从堆存、处理区域输送到使用区时，宜从高标高区域往低标高区域输送转运；

5 粉状干物料输送应选用密闭设备；

6 料浆输送宜采用渣浆泵；

7　料浆输送管道应设置不小于5%的坡度。

7.1.6　特殊地区的工艺设计应符合下列规定：

1　在高海拔及湿热地区建厂时，应对电动机及设备轴承等设备提出特殊要求；

2　在严寒和寒冷地区建厂时，室外含水介质的管道和设备应采取防冻措施。

7.2　原料储存与制备

7.2.1　原料储存应符合下列规定：

1　原料储存应集中布置处理；

2　干物料、湿物料储存应分区布置；

3　原料纸储存仓库宜单独设置。

7.2.2　原料储存方式应根据物料特性、占地面积以及工艺布置等因素确定，并应符合下列规定：

1　砂的储存应符合下列规定：

1)砂含水率大于或等于5%时，应采用露天或原料堆棚储存，并应采取排水措施；

2)砂含水率小于5%时，可采用筒仓储存。

2　干粉煤灰、消石灰粉、生石灰粉、水泥等粉状物料应采用筒仓储存。

3　湿粉煤灰应采用原料堆棚储存，并应采取排水措施。

4　待加工的原料纸宜在靠近碎浆机的区域设置地面堆存库，制备的纸浆可选用方浆池或储罐储存。

5　无机填料及外加剂袋装进厂时，可设地面专区堆存，散装进厂时应采用筒仓储存。

6　采用自卸汽车运输时，堆棚内净空高度不应小于8.0m，门的高度和宽度应与选用的运输工具相适应。

7.2.3　各种物料最短储存期应根据设计规模、物料来源、外部运输条件和运输方式、储存形式、生产管理水平、市场因素等情况确定，并应符合表 7.2.3 的规定。

表 7.2.3　各种物料最短储存期(d)

物料名称	最短储存期
消石灰粉、生石灰粉	1
砂	1
干粉煤灰	1
湿粉煤灰	1
水泥	1
原料纸	5
无机填料及外加剂	5

7.2.4　筒仓锥部及溜管溜槽的最小倾斜角应根据物料特性、颗粒度等因素确定，并应符合表 7.2.4 的规定。

表 7.2.4　筒仓锥部及溜管溜槽的最小倾斜角

物料名称	筒仓(料斗)锥部倾斜角(°)	溜管、溜槽倾斜角(°)
消石灰粉	60	55
生石灰粉	60	55
砂	60	55
干粉煤灰	55	50
散装水泥	60	55
无机填料及外加剂	60	55

7.2.5　物料粒度未达到工艺要求时，应配置粉磨设备。

7.2.6　使用生石灰粉生产时，应采取熟化措施。

7.2.7　纸浆制备设备选型应根据物料日需求量、原料纸的品种、工作制度等因素确定。

7.2.8　砂磨机选型时，物料小时产量可按下式计算确定：

$$G = k \times Q \tag{7.2.8}$$

式中：G——物料小时产量(t/h)；

Q——磨机粉磨水泥的额定小时产量(t/h);

k——物料系数。

7.2.9 储存经砂磨机制得的砂浆时,应采用带搅拌装置的砂浆池或砂浆储罐。

7.2.10 纸浆应采用带螺旋推进器的纸浆池(或纸浆储罐)储存,纸浆的储存量应符合下列规定:

1 储存量应根据物料特性确定;

2 储存量应能保证连续供应,宜至少保证一个班的生产用量;

3 纸浆池(或纸浆储罐)数量应根据单个池(或储罐)的有效容积、工作制度及生产调节便利性等确定。

7.2.11 工艺计算及设备选型时,宜将纸浆碎浆时间设定为10min~45min,具体时间应视原料纸品种而定。

7.2.12 原料纸磨浆后,按生产的产品不同,纸浆的打浆度可控制在25°SR~65°SR之间,采用流浆法生产工艺时应取相对低值,采用抄取法生产工艺时应取相对高值。

7.2.13 采用不同的纸浆纤维配合使用时,应分别设置对应的纸浆池(或纸浆储罐)。

7.2.14 废水、废浆循环利用率必须达到100%,边角余料循环利用率不得低于60%。

7.2.15 泵的扬程可按下式计算:

$$H = k \times (h_1 + h_2 + h_3) \tag{7.2.15}$$

式中:H——泵的扬程(m);

k——安全系数(取1.1);

h_1——浆料输送系统最高点与最低点的垂直高差(m);

h_2——浆料输送系统沿程阻力损失(m);

h_3——浆料输送系统局部阻力损失(m)。

7.2.16 料浆管道的设计应符合下列规定:

1 料浆管道的坡度不应小于5%;

2 料浆输送系统宜设置管道冲洗设施；

3 料浆管道弯头处应采用法兰连接，直管道每隔 6m～8m 应设置一处法兰；

4 阀门应紧贴设备法兰安装。

7.2.17 阀门安装位置应避免物料阻塞，并应便于操作和检修，当操作、检修不便时，应单独设置阀门的检修操作平台。

7.2.18 各扬尘点均应设置收尘装置。

7.2.19 收尘风管、阀门布置应符合下列规定：

1 竖直风管内的风速宜为 8m/s～12m/s；

2 水平风管宜缩短距离，风速宜为 18m/s～22m/s；

3 应减少弯管数量，风管弯管的曲率半径宜为风管直径的 1.5 倍～2.0 倍；

4 主风管、支路风管应分别设置风量调节阀。

7.3 配料与制浆

7.3.1 物料配料应采用计量装置，可采取单一物料计量，亦可采用多种物料累计计量。

7.3.2 计量装置的容量及台数应根据原料配比、配料周期、物料计量时间等因素综合确定。

7.3.3 配料系统中，粉状物料的输送宜选用管式螺旋输送机，流动性较好的粉状物料宜采用向上角度输送。

7.3.4 粉状物料的计量装置应均匀出料，并应防止水分进入。

7.3.5 计量装置出料管与配料搅拌机入料口连接处应采用软连接。

7.3.6 制浆周期不应小于 10min，配料设计时应根据制浆周期参数进行工艺计算及设备选型。

7.3.7 制备料浆时，加料应按纸浆、其他纤维、水、粉状物料的顺序设计。

7.3.8 储浆量应保证制板机能连续生产，宜在 15min～45min 内使用完毕。

7.4 制板、接坯、堆垛

7.4.1 工艺计算以及设备和管道选型时，若采用流浆法生产，进入流浆箱的料浆浓度宜设定为10%～17%；若采用抄取法生产，进入网箱的料浆浓度宜设定为3%～10%。

7.4.2 成型筒加压系统的压力应根据板材厚度、密度等因素确定。

7.4.3 制板机选型可根据产品品种、生产规模、投资要求等因素综合确定。

7.4.4 真空系统的设计应遵循料层逐级脱水，顺着料坯行走方向真空度依次升高的原则。

7.4.5 生产线中，应设置给水管对制板机毛布、网轮进行清洗，用水量应根据水压、喷水孔数量、孔径等因素确定。

7.4.6 生产线中，应设置给水管对真空泵给水，真空泵应采用清洁水源，并应循环使用。

7.4.7 接坯机产能应与制板机相匹配。

7.4.8 制板工段应配置料浆回收系统。

7.4.9 板坯切割方式可采用水切割、刀切割等切割方式；采用水切割时应使用软化水，采用刀切割时应配置磨刀机。

7.4.10 堆垛工段设备应根据单线堆垛产量合理配置。

7.4.11 堆垛机的堆垛高度应根据吸盘下净空高度、堆垛小车高度等因素确定；当生产加压板时，堆垛高度应与压机开口高度相适应。

7.4.12 堆垛小车的数量应按下式确定：

$$M=N+8 \tag{7.4.12}$$

式中：M——堆垛小车数量（个）；

N——预养室模位数量的最小值（个）。

7.4.13 堆垛应采用一模一板交替码垛的形式，模板应与板坯规格相匹配。

7.4.14 堆垛模板可选用钢模板或塑料模板，当生产加压板时宜采用钢模板。

7.5 生产用水循环系统

7.5.1 纤维增强硅酸钙板工厂应设计生产用水循环系统。

7.5.2 生产用水循环系统应设置回水罐、沉渣池、清水池，回水罐应设置进水泵、管道、阀门以及出水管道和阀门。

7.5.3 回水罐中清水罐的上层清水宜用于冲洗毛布、网轮及纸浆制备，回水罐中混水罐的下层混水宜用于稀释料浆、制备回料浆、制备砂浆、混合原料等。

7.5.4 回水罐下方区域宜就近设置沉渣池，沉渣池的容积不宜小于回水罐总容积，沉渣池应预留清理通道。

7.5.5 生产用水循环系统需补充用水时，可从回水罐加入。

7.5.6 清水泵的配置应结合用水点需水量、水压、用水频率、管道长度、管路损失等因素综合确定。

7.5.7 回水罐的位置应靠近用水负荷中心，给水管道应减少压力损失。

7.5.8 回水罐出水管道的设计应根据用水点水质需求、用水点距离等因素合理设计，在能满足管路坡度需要的情况下，宜采用自流给水；在不能满足坡度和水压的情况下，宜配置渣浆泵。

7.5.9 蒸压釜冷凝水和设备冷却水应进行除油处理后再循环利用。

7.6 加压、预养、脱模与蒸压养护

7.6.1 生产纤维增强硅酸钙板时，可对板坯进行加压。

7.6.2 压机工艺设计选型时，板材加压的压力宜设定为5MPa～25MPa，加压全过程时间不宜小于20min。

7.6.3 预养室工艺设计时，板坯预养温度宜设定为30℃～60℃；预养时间宜设定为4h～10h。

7.6.4 预养室的净空高度宜为1.8m～2.0m。

7.6.5 采用室温自然静停时，养护时间宜大于8h。

7.6.6 预养室模位数量的最小值可按下式计算：

$$N=\frac{T\times 60}{t}+2 \tag{7.6.6}$$

式中：N——预养室模位数量的最小值(个)；

T——坯体的预养时间(h)；

t——生产一车板坯所需时间(min)。

7.6.7 预养室内堆垛小车的移动宜采用牵引机，自动化程度低的生产线可采用卷扬机。

7.6.8 进蒸压釜前，板坯中间应间隔放置蒸压垫板，相邻蒸压垫板间距宜为150mm～200mm。

7.6.9 脱模工位的设备配置能力和形式应与堆垛工位相适应。

7.6.10 脱模机堆垛高度应根据吸盘下净空高度、蒸养车高度及蒸压釜直径确定。

7.6.11 蒸压釜直径的确定，宜选用蒸压釜填充率最大的设计方案。

7.6.12 蒸压釜长度应根据蒸养小车搭接长度与釜内蒸养小车数量确定，宜按下式计算：

$$H=L\times N+0.5 \tag{7.6.12}$$

式中：H——蒸压釜的长度(m)；

L——蒸养小车的搭接长度(m/辆)；

N——单台蒸压釜内蒸养小车的数量(辆)。

7.6.13 蒸压釜数量应由设计规模、蒸压釜长度及每车板坯堆放数量确定，可按下式计算：

$$Q=\frac{G}{D\times(t\div c)\times N\times m\times S} \tag{7.6.13}$$

式中：Q——蒸压釜的数量(台)；

G——设计规模(m^2/a)；

D——年工作日(d/a，按300d/a计算)；

t——蒸压釜日工作时间(h/d,按24h/d计算);

c——蒸压周期(h);

N——单台蒸压釜内蒸养小车的数量(辆/台);

m——每个蒸养小车上的板坯数(张/辆);

S——单张板材面积(m^2/张)。

注:计算出的数据,当小数点后第一位数值大于或等于5时,蒸压釜的数量为计算数量加1;小于5时,需要调整方案并重新计算。

7.6.14 蒸压养护过程应由制品进釜、抽真空、升压、恒压、降压、制品出釜六个阶段组成,整个蒸压养护周期应为18h～24h。蒸压釜的设计压力不宜小于1.4MPa。

7.6.15 两台蒸压釜在同一处安装时,蒸压釜之间的中心距宜符合表7.6.15规定:

表7.6.15 蒸压釜之间的中心距

蒸压釜类型	蒸压釜直径(m)	蒸压釜中心距(mm)
上开门	Φ2.00	≥2800
侧开门	Φ2.00	≥3200

7.6.16 蒸养车数量应由蒸压釜数量及釜内蒸养小车数量确定。蒸养车的最小数量计算应符合下列规定:

1 当蒸压釜的总数量小于或等于2台时,可按下式计算:

$$S = Q \times N \times 2.0 \qquad (7.6.16\text{-}1)$$

2 当蒸压釜的总数量大于2台时,可按下式计算:

$$S = Q \times N \times 1.5 \qquad (7.6.16\text{-}2)$$

式中:S——蒸养车的数量(辆);

Q——蒸压釜的总数量(台);

N——单台蒸压釜内蒸养小车的数量(辆/台)。

7.6.17 脱模工段应设置模板清理及接收整理装置。

7.6.18 蒸养小车及蒸养垫板的循环系统宜设置蒸养小车轴承的检修工位。

7.7 烘干、砂光与磨边倒角

7.7.1 板材干燥设备宜采用梳式烘干机。

7.7.2 烘干机内的温度不应超过140℃。

7.7.3 烘干机的长度可按下式计算:

$$L = \frac{Q \times n \times t}{S \times 6750 \times 60} \quad (7.7.3)$$

式中:L——烘干机长度(m);

Q——单线年产量(m^2,按年工作时间6750h计);

n——烘干机链板节距(m);

t——烘干时间(min,6mm厚度板材烘干时间约为50min～60min);

S——单张板材面积(m^2)。

7.7.4 烘干机以连续烘干为宜,烘干机速度可按下式计算:

$$v = \frac{L}{t} \quad (7.7.4)$$

式中:v——烘干机速度(m/min);

L——烘干机长度(m);

t——烘干时间(min)。

7.7.5 根据产品功能需要,可对板材进行砂光及磨边倒角等二次深加工,并应配置相应的加工设备。

7.7.6 砂光、磨边倒角工序可串联布置,亦可根据具体要求独立布置。

7.8 包装与堆放

7.8.1 纤维增强硅酸钙板可采用木架、木箱包装,若采用其他包装方式,应保证板材不致弯曲、板边不致碰撞损坏。

7.8.2 纤维增强硅酸钙板应在室内堆存,成品库的面积可按下式计算:

$$F=\frac{P\times T\times k}{A} \tag{7.8.2}$$

式中：F——成品库的面积(m^2)；

P——生产线日产量(m^2/d)；

T——产品的储存期($d, T \geqslant 5d$)；

k——成品库的通道系数(取 1.25～1.5)；

A——成品的码垛密度(m^2/m^2)，堆垛高度不超过 3m。

7.8.3 成品库应配置转运设备。

7.9 检　　测

7.9.1 纤维增强硅酸钙板工厂应设置检测室，检测内容应包括原料检测、过程检测、成品检测。

7.9.2 原料检测应根据原料情况制定检测项目，并应配置化验仪器和检测装置。

7.9.3 过程检测应制定检测项目、配置检测装置，并应设置生产过程的质量控制点。

7.9.4 成品检测应配置检测装置。

8 电气及自动化

8.1 一般规定

8.1.1 电气及自动化设计应满足生产工艺以及节能、降耗、保护环境和保障人身安全的要求。

8.1.2 电气及自动化设计中应采用先进、实用及节能的产品，不得采用淘汰产品。

8.1.3 电气及仪表装置应采取防尘、绝缘等措施。

8.2 供配电

8.2.1 供配电系统应根据负荷性质、用电容量、工程特点及地区供电条件确定合理的供配电方案。

8.2.2 供电电源应根据工厂规模、供电距离、工厂发展规划和当地电网现状等条件，经过技术经济比较后确定，并应符合下列规定：

1 条件允许时，应采用一路工作电源和一路备用电源的供电方案；

2 备用电源应能满足生产线上主要设备的用电以及重要区域的照明和消防用电；

3 供电系统应简单可靠，同一电压供电系统的变配电级数不宜多于两级；

4 高、低压配电宜采用放射式为主。

8.2.3 供电电压宜采用 10kV 供电电压或根据当地供电电网的实际情况制定适宜的供电电压。

8.2.4 无功功率补偿应符合下列规定：

1 工厂功率因数应满足所在地供电部门的要求；

2 无功功率补偿宜采用高压补偿与低压补偿相结合、集中补偿与就地补偿相结合的补偿方式；

3 低压无功功率补偿宜采用自动补偿；

4 补偿装置载流部分的长期允许电流不应小于电容器额定电流的1.5倍。

8.3 变 电 所

8.3.1 电源进线为35kV及35kV以下的变电所，进线侧应装设断路器。高压母线宜采用单母线或单母线分段接线方案。

8.3.2 接在母线上的电压互感器和避雷器宜合用一组隔离开关。

8.3.3 变压器选择应符合下列规定：

1 低压供电采用0.4kV时，变电所中单台变压器的容量大型厂不宜大于2500kV·A，中、小型厂不宜大于1600kV·A；

2 在TN及TT系统接地型式的低压电网中，采用低压配电变压器时，宜选用“D、yn11”接线组别的三相变压器；

3 装有2台以上变压器时，当一台变压器断开时，其余变压器容量应保证厂区内主要设备和重要区域的用电；

4 在多尘或有腐蚀性气体严重影响变压器安全运行的场所，应选用防尘型或防腐型变压器；

5 变压器低压侧的总开关和母线分段开关，宜采用低压断路器。

8.3.4 小型变电所宜采用弹簧储能操动机构合闸和去分流分闸的全交流操作；当操动机构为直流操作时，宜采用小容量镉镍电池装置或电容储能式硅整流装置作为合、分闸操作电源。

8.3.5 含可燃性油的变压器应设置变压器室，且应一器一室。

8.3.6 变电所的位置应符合下列规定：

1 应接近负荷中心；

2 应方便进线与出线；

3 应便于设备运输；

4 不应设在有剧烈振动或高温场所；

5 不应设在有爆炸危险环境的正上方或正下方；

6 不应设在地势低洼和可能积水的场所；

7 应设在粉尘、有害气体的上风口。

8.3.7 通道及围栏与配电装置的安全净距及尺寸要求应符合现行国家标准《供配电系统设计规范》GB 50052 的有关规定。

8.4 厂区配电线路

8.4.1 工厂电源输电线路及配电线路应根据现场条件，采用架空线路、电缆线路或其他敷设方式。

8.4.2 厂区电缆可采用电缆沟、电缆隧道、电缆桥架或电缆通廊等敷设方式。当沿同一路径敷设的电力、控制缆线数量少于 6 根时可采用直埋敷设或穿保护管埋地敷设方式。

8.4.3 电缆敷设应选择最短路径方案，并应避开规划中拟发展的地方，同时应减少与铁路、道路、排水沟、给水管、排水管、热力管沟和其他管沟的交叉。

8.4.4 敷设电缆和计算电缆长度时应留有一定的余量。

8.4.5 电缆敷设应符合现行国家标准《低压配电设计规范》GB 50054、《电力工程电缆设计规范》GB 50217 及本规范附录 B～附录 D 的有关规定。

8.5 车间配电

8.5.1 工厂用电设备的低压配电宜采用 380V/220V 的 TN 系统。

8.5.2 同一生产流程的电动机或其他用电设备，宜由同一段母线供电。

8.5.3 工厂的单相负荷宜均匀分布在三相线路中。

8.5.4 电动机的起动方式应符合下列规定：

1 30kW 以下的鼠笼型电机应采用全电压起动；

2　30kW及以上的鼠笼型电机应采用软起动装置，或采用其他降压起动方式；

3　有调速要求时，电动机的起动方式应与调速方式相配合；

4　绕线型电动机，宜采用转子回路接入液体变阻器或频敏变阻器起动，起动转矩应满足生产机械的要求。

8.5.5　电动机的调速应符合下列规定：

1　电动机的调速方案应满足工艺设备对调速范围、调速精度和平滑性的要求，调速方案应对技术先进性、安全可靠性、节能效果、功率因数、谐波干扰、使用维护、投资等进行综合技术经济比较后确定；

2　需调速的风机、水泵等宜采用变频调速；

3　使用调速设备时应符合现行国家标准《电能质量　公用电网谐波》GB/T 14549的有关规定。

8.5.6　电动机的保护应符合下列规定：

1　低压交流电动机应设置短路保护和接地故障保护，并应根据具体情况分别装设过负荷保护、断相保护和低电压保护，同时应符合现行国家标准《通用用电设备配电设计规范》GB 50055的有关规定；

2　低压交流电动机的短路保护装置，宜采用低压断路器的瞬动过电流脱扣器，并应满足电动机起动及灵敏度要求；

3　低压交流电动机的接地故障保护应符合现行国家标准《低压配电设计规范》GB 50054的有关规定；

4　低压交流电动机的断相保护装置，宜采用带断相保护的三相热继电器，也可采用温度保护或专用断相保护装置；

5　低压交流电动机的过负荷保护，宜采用热继电器或低压断路器的延时脱扣器做保护装置。

8.5.7　电动机的控制应符合下列规定：

1　生产上有关联的控制点、操作岗位之间应设置联络信号；

2　电动机集中控制时，控制点应设置电动机运行信号和故障报警信号，电动机起动前应先发起动预报信号；

3 集中控制的电动机应采用“集中－机旁”的控制方式，当选择在机旁控制时，电动机可通过机旁控制按钮进行启停，且电动机应设置机旁停车按钮和紧急停车按钮；

4 移动机械有行程限制时，行程两端应设置限位保护；

5 检修设备的电源回路，应设置漏电保护装置，并应设置就地安装的保护开关。

8.5.8 电气测量仪表的配置，应符合现行国家标准《电力装置的电测量仪表装置设计规范》GB/T 50063 的有关规定，并应符合下列规定：

1 容量为 55kW 及以上的电动机、调速电动机、容易过载的电动机及工艺要求监视负荷的电动机，宜设置电流监视。

2 车间内的配电箱或控制箱，应设置指示电源电压的电压表。

8.5.9 车间配电线路的敷设应符合下列规定：

1 车间配电设计宜采用铜铝材质导体。

2 配电线路的保护，应符合现行国家标准《低压配电设计规范》GB 50054 的有关规定。

3 生产车间的配电线路宜采用电缆沟（或电缆桥架）敷设。

4 导线穿钢管敷设在高温区时应采取隔热措施，并应选用阻燃电缆，不应敷设在热源附近。

5 交流回路中采用单芯电缆时，应采用无钢带铠装或非磁性材料护套的电缆，不得采用导磁材料保护管。

6 用于配线的钢管直径不宜大于 80mm，并应符合下列规定：

1）敷设在地坪内时，钢管直径不得小于 15mm；

2）穿基础时，钢管直径不得小于 20mm；

3）敷设在楼板内时，钢管直径应与楼板厚度相适应，且不得小于 15mm。

7　穿管绝缘导线或电缆的总截面积，不宜超过管内截面积的40%。

8　穿钢管的交流导线，应三相回路共管敷设。

9　除下列情况外，不同回路的线路不得穿同一根金属管：

1)一台电动机的所有回路；

2)同一设备多台电动机的所有回路；

3)同一生产系统无干扰要求的信号、测量和控制回路。

10　6芯以上的控制电缆，应预留不小于15%的备用芯数。

11　导线穿过不均匀沉降的地区或伸缩缝时，应采取保护措施。

8.6　照　　明

8.6.1　照明设计应符合下列规定：

1　工厂照明设计应符合现行国家标准《建筑照明设计标准》GB 50034的有关规定；

2　工作面上照度值应根据设备、管道、梁柱、灰尘等影响条件确定，且应满足本规范附录E的要求；

3　生产线的照明方式应分为一般照明、局部照明和混合照明。在一个工作场所内，不应只装设局部照明。工作场所装设局部照明的地点应符合表8.6.1的规定；

表8.6.1　工作场所装设局部照明的地点

工作场所名称	装设局部照明的地点
原料堆场	起重设备下、行车轨道、运输通道
检验工区	检验台
泵房	控制屏、仪表屏
控制室、配电室	盘后

4　照明供电线路应安全、可靠，并应远离热源；

5　主生产车间宜采用混合照明。

8.6.2 照度标准应符合下列规定：

1 生产车间及辅助建筑照明的最低照度标准应符合本规范附录E的规定。本规范附录E未包括的，可根据相似场所的照度值确定。

2 计算照度值时，应计入补偿系数。

3 工厂的中央控制室、高低压电气室、化验室、办公室及需要有较高照度环境的车间的照明设计，在满足照度要求的同时，还宜符合统一眩光值及一般显色指数的要求。

4 照明灯的供电电压宜为灯具额定电压的95％～105％。

8.6.3 灯具的选型应符合下列规定：

1 灯具种类宜根据环境条件、被照面配光要求及灯具效率等确定；

2 蒸养工段、水泵房、浴室等场所宜选用防水、防尘灯具；

3 层高超过7m时应采用深罩型工厂灯。

8.6.4 照明供电回路的分组及控制，应符合下列规定：

1 使用小功率光源的室内照明线路，每一单相回路的电流不宜超过16A；照明灯具不宜超过25个；高强气体放电的照明，每一单相分支回路的电流不宜超过30A。

2 照明插座、楼梯间及门廊的照明灯，宜由单独回路供电。

3 三相线路的各相负荷宜分配均衡，并应符合下列规定：

1)最大相负荷不宜大于三相负荷平均值的115％，最小相负荷不宜小于三相负荷平均值的85％；

2)同时供电给多个照明配电箱的线路，各相电流差不应超过10％；

3)以气体放电灯为主的照明线路的负荷计算，应计入功率因数影响，且中线截面不应小于相线截面。

4 车间内的照明宜在照明配电箱上集中分区控制，生活区、控制室、门灯等宜分散控制，道路照明宜自动控制。

8.6.5 门式起重机上应安装照明灯具，并应采取防水、防振、防脱落等措施。

8.6.6 厂区内宜采用 TN－C 的低压配电系统，照明配电系统应局部采用 TN－C－S 系统，并应设置专用 PE 线。

8.6.7 照明配电箱的插座回路应装设漏电保护器，回路中 PE 线的截面应与相线截面相等。PE 线一端应与插座的接地孔相接，另一端应与照明配电箱接地 PE 母线相接。插座回路的 N 线不得与其他回路的 N 线共用。

8.6.8 厂区道路照明线路设计应符合下列规定：

1 厂区道路照明线路宜采用电缆直埋方式敷设；

2 厂区道路照明各回路应设保护，每个照明器宜单独设置熔断器保护；

3 照明线路三相负荷应分配均衡，最大与最小相负荷电流不宜超过 30%。

8.7 电气系统接地

8.7.1 工厂电气系统接地应包括工作接地、保护接地、防雷接地、电子设备接地和防静电接地等。

8.7.2 3kV～10kV 电压级，宜采用中性点不接地的小电流接地系统。

8.7.3 厂区低压配电系统接地宜采用 TN 系统。TN 系统的型式应根据工程情况经技术经济比较后确定，并应符合下列规定：

1 由同一台发电机、同一台变压器或同一母线向 1 个建筑物供电的低压配电系统，应采用同一种系统接地型式，建筑物以外的电气设备宜单独接地；

2 在 TN－C 或 TN－S 系统接地型式中，不得断开 PEN 线以及 PE 线和 N 线，不得装设断开 PEN 线以及 PE 线和 N 线的任何电器器件；

3 在 TN－C－S 系统接地型式中，应在由 TN－C 转为 TN－S 系统的用户进线配电箱处将 PEN 线分为 PE 线和 N 线，分开后两者不得再合并；

4 在TN－S接地型式中，N线上不应装设只将N线断开的电气器件，当需要断开N线时，应装设相线和N线一起断开的电气器件。

8.7.4 变电所内不同用途、不同电压的电气设备，除另有规定外，应使用一个总的接地装置，接地电阻应符合其中最小值的要求。

8.7.5 全厂的共同接地装置，应通过电缆隧道、电缆沟、电缆桥架中的接地干线、铠装电缆的金属外皮、低压电缆中的PE线连成电气通路，并形成全厂接地网。

8.7.6 共同接地装置宜利用自然接地体，但不得利用输送易燃易爆物资的管道。自然接地体能够满足要求时，除变电所外，可不设人工接地体，但应校验自然接地体的热稳定值。

8.8 生产过程自动化

8.8.1 工厂的生产自动化设计应符合下列规定：

1 在条件许可时应设置计算机控制系统对生产过程进行监督、控制和管理；

2 对生产过程中的关键区域宜设置工业电视装置；

3 工厂宜设置产品、生产管理信息系统。

8.8.2 控制室设计应符合下列规定：

1 控制室设计应根据工艺控制要求和自动化程度要求设置中央控制室或车间控制室，控制室不宜过于分散；

2 控制室应设在被控区域的适当位置，在满足生产控制要求的条件下，应方便电缆管线进出，并应避开电磁干扰源、尘源和振源等；

3 控制室应有防尘、防火、隔声、保温、隔热和通风等设施，并宜铺设防静电活动地板、设置空气调节系统；

4 控制室应设置双回路供电电源；

5 控制室的供电电源应从母线引出，不应与照明、动力线路混用；

6 控制室应配备有足够容量的不间断电源(UPS)装置，供电的延续时间不宜少于20min；

7 控制室消防设施的设置应符合现行国家标准《建筑设计防火规范》GB 50016的有关规定。

8.9 通 信

8.9.1 工厂的通信系统宜包括厂区电话系统和厂区无线对讲系统。

8.9.2 厂区内有通信需要的工作岗位，应设直通电话。

8.9.3 通信系统应设置工作接地、保护接地和防雷接地。

9 建筑与结构

9.1 一般规定

9.1.1 在满足工艺要求的前提下，建筑结构设计宜采用单层和多层联合厂房，同时应满足采光、通风、保温、隔热、防雨、隔声等要求。

9.1.2 建筑结构设计应采用成熟的和符合国家产业政策的新结构、新材料、新技术。

9.1.3 建(构)筑物的安全等级应根据破坏后果的严重性，按表9.1.3的规定执行。

表 9.1.3 建(构)筑物的安全等级

安全等级	破坏后果	建(构)筑物名称
二级	严重	原料堆棚、原料筒仓、粉磨车间、主生产车间、压缩空气站、检测室、备品备件室、外加剂储存间、变电所、循环水泵站、污水泵站、水塔、储水池、机电维修车间、锅炉房、工厂办公室、倒班宿舍、食堂、浴室、汽车库等
三级	不严重	成品库、地磅站、厕所、门卫室、围墙等

9.1.4 建(构)筑物的抗震设防分类应按使用功能的重要性、生产规模、受灾停产后经济损失和修复难易程度等因素确定，并应符合表9.1.4的规定。

表 9.1.4 建(构)筑物的抗震设防分类

抗震设防类别	建(构)筑物名称
乙类	外加剂储存间

续表 9.1.4

抗震设防类别	建(构)筑物名称
丙类	原料堆棚、原料筒仓、粉磨车间、主生产车间、压缩空气站、检测室、备品备件室、变电所、循环水泵站、污水泵站、水塔、储水池、机电维修车间、锅炉房、工厂办公室、倒班宿舍、食堂、浴室、汽车库等
丁类	成品库、地磅站、厕所、门卫室、围墙等

9.1.5 建(构)筑物的防火设计应符合现行国家标准《建筑设计防火规范》GB 50016 的有关规定。主要生产车间及建(构)筑物的火灾危险性类别、最低耐火等级及防火间距应符合本规范附录 A 的规定。

9.1.6 功能相近的辅助车间、生产管理辅助建筑宜合并建设。

9.2 生 产 车 间

9.2.1 生产车间的采光应符合下列规定：

1 白天应利用自然采光；

2 自然采光无法满足要求时，可采用人工照明为辅的混合采光；

3 有条件的地区应利用太阳能技术。

9.2.2 厂房内工作平台上部的净高及楼梯至上部构件底面的高度不宜低于 2m。

9.2.3 厂房内通道宽度应按人行、配件的搬运及车辆运行等要求确定，并应符合下列规定：

1 设备固定部分(或有封闭罩的设备运转部分)旁的通道净宽不应小于 0.7m；

2 无封闭罩的设备运转部分旁的通道净宽不应小于 1m。

9.3 辅 助 建 筑

9.3.1 生产管理及生活服务设施辅助建筑的热工性能应符合现

行国家标准《公共建筑节能设计标准》GB 50189 或当地居住建筑节能设计的有关规定。

9.3.2 车间办公室设计应符合下列规定：

1 车间办公室可布置在生产车间内，也可与其他辅助建筑联建；

2 车间办公室内噪声级不应超过 70dB(A)。

9.3.3 生产辅助车间设计应满足各主体专业要求，并应有自然采光和自然通风。

9.3.4 备件库可单独设置或置于生产车间内，生产车间内的备件库应有围护结构，并应与生产区隔开。

9.4 构 筑 物

9.4.1 烟囱设计应符合现行国家标准《烟囱设计规范》GB 50051 的有关规定。

9.4.2 生产废水循环处理系统、水池、水塔的设计应符合现行国家标准《给水排水工程构筑物结构设计规范》GB 50069 的有关规定。

9.4.3 筒仓设计应符合现行国家标准《钢筋混凝土筒仓设计规范》GB 50077 和《钢筒仓技术规范》GB 50884 的有关规定。

9.4.4 构筑物抗震设计应符合现行国家标准《构筑物抗震设计规范》GB 50191 的有关规定。

9.5 建筑构造设计

9.5.1 屋面设计应符合下列规定：

1 屋面宜采取有组织排水，屋面的排水坡度应符合现行国家标准《民用建筑设计通则》GB 50352 的相关规定；

2 厂房高度超过 6m 时应设置可直接到达屋面的垂直爬梯，垂直爬梯超过 6m 高的部位应有护笼；

3 主生产车间切割工段屋面宜设置排气扇；

4 主生产车间蒸压养护工段屋面宜设置气楼。

9.5.2 墙体设计应符合下列规定：

1 钢结构厂房的墙面宜采用金属压型板等轻质板材，钢筋混凝土框架厂房的外墙可采用金属压型板、其他大型板材或其他轻质围护结构；

2 寒冷及风沙大的地区，建筑围护结构应以封闭式为主；

3 噪声较大的车间应减少围墙上的门、窗面积，外围护结构应具有足够的隔声能力；

4 粉尘较大的车间应有封闭的外围护结构。

9.5.3 有运输设备出入的车间门尺寸应符合下列规定：

1 大门的高度应至少超出通过的运输设备 0.6m 以上，宽度应至少超出 0.6m 以上；

2 人行门宽度不应小于 0.9m。

9.5.4 生产车间在人工开窗有困难的高处宜采用中旋窗或固定的采光、通风口。

9.5.5 有隔声及防火要求的门窗应采用相应的配件。

9.5.6 楼梯及防护栏杆的设计应符合下列规定：

1 车间可采用钢梯作为楼层和工作平台之间的通道，主梯宽度不宜小于 0.9m；

2 钢梯角度宜选用 45°，室外钢梯宜采用钢格板踏步；

3 车间各类平台的临空周边、垂直运输孔洞以及楼梯洞口的周边，应设置防护栏杆，防护栏杆的高度不应小于 1.1m。

9.5.7 楼面、地面、散水的设计应符合下列规定：

1 建(构)筑物的外围应设散水，人行门下应设台阶，车行门下应设坡道；

2 车间宜采用混凝土地面、水泥砂浆楼面；

3 湿陷性黄土、膨胀土、冻胀土地区的地面、散水、台阶、坡道应按国家现行标准《湿陷性黄土地区建筑规范》GB 50025、《膨胀土地区建筑技术规范》GB 50112 和《冻土地区建筑地基基础设计规范》JGJ 118 的有关规定执行。

9.5.8 地坑的设计应符合下列规定：

1 地下水设防标高应根据地下水的稳定水位、场地产生滞水的可能性及建厂后场地地下水位变化等因素确定，设计最高地下水位应为稳定的最高地下水位或最高滞水水位加高 0.5m，但不得超过室内地坪标高；

2 地坑内应设集水坑。

9.6 主要结构选型

9.6.1 建(构)筑物的基础应优先采用天然地基。遇有下列情况之一时应采用人工地基：

1 天然地基的承载力或变形无法满足建(构)筑物的使用要求；

2 地基具有可满足承载力要求的下卧层，经技术经济比较，确认采用人工地基比天然地基更为合理；

3 地震区地基有不能满足抗液化要求的土层。

9.6.2 多层厂房宜采用现浇钢筋混凝土框架结构。单层厂房宜根据跨度采用轻钢结构或钢筋混凝土结构，大跨度屋盖结构宜采用轻钢结构。

9.6.3 蒸压釜基础应计入不均匀沉降带来的影响。

9.6.4 建(构)筑物结构应符合现行国家标准《工业建筑可靠性鉴定标准》GB 50144 的有关规定。

9.7 结构布置

9.7.1 厂房的柱网应整齐，并应符合建筑模数的要求；平台梁板的布置应规则整齐、传力明确。

9.7.2 厂房内的大型设备基础、独立构筑物、整体地坑等，宜与厂房柱子基础分开设置。

9.7.3 与厂房相邻的建筑物，宜采用沉降缝或伸缩缝与厂房分开设置。

9.7.4 当大型设备基础设置在平台或楼板上时，应采取加强措施。

9.7.5 建筑在高压缩性软土地基上的厂房，建筑物室内地面或附近有大面积堆料时，应计算堆料对建筑物地基的影响，并应对差异沉降采取相应的措施。

9.7.6 建(构)筑物沉降观测点的设置应符合现行国家标准《建筑地基基础设计规范》GB 50007 的有关规定，并应进行变形观测。

9.8 设计荷载

9.8.1 建(构)筑物楼面的均布活荷载标准值及其组合值系数、频遇值系数、准永久值系数，应按生产实际情况采用，也可按表9.8.1 的规定采用。

表 9.8.1 建(构)筑物楼面均布活荷载

序号	类别	标准值 (kN/m^2)	组合值系数 Ψ_c	频遇值系数 Ψ_f	准永久值系数 Ψ_q
1	生产车间配料楼面、平台、楼梯、输送机转运站	4.0	0.7	0.7	0.6
2	胶带、输送机走廊、一般走道	2.0	0.7	0.7	0.6
3	民用建筑	按现行国家标准《建筑结构荷载规范》GB 50009 采用			

9.8.2 建(构)筑物屋面水平投影面上的均布活荷载标准值及其组合值系数、频遇值系数、准永久值系数，应执行现行国家标准《建筑结构荷载规范》GB 50009 的规定。

9.8.3 建(构)筑物的设备荷载标准值，应根据工艺要求确定。计算时应将设备荷载标准值分解为永久荷载和可变荷载。

9.9 结构计算

9.9.1 磨机基础的地基反力，不应出现拉力。同一设备的相邻两个基础之间的不均匀差异沉降量不应大于10mm。

9.9.2 磨机基础可不作动力计算及抗震验算。

9.9.3 结构计算时，应计入浇筑搅拌机对楼面振动的影响。

9.9.4 地坑、地下水池应进行抗浮验算。

10 给水与排水

10.1 一般规定

10.1.1 给水与排水设计应满足生产、生活和消防用水的要求。

10.1.2 在严寒和寒冷地区建厂时，给水与排水管道应有防冻措施。

10.2 给水

10.2.1 给水系统应分别设置生产循环给水系统和生活、消防给水系统。

10.2.2 生产、生活用水量的确定应符合下列规定：

1 生产用水量应根据生产工艺和生产设备的要求确定；

2 冲洗汽车用水量和公共建筑生活用水量应符合现行国家标准《建筑给水排水设计规范》GB 50015 的有关规定；

3 不可预见用水量可按生产、生活总用水量的 15%～30% 计算。

10.2.3 设备冷却水的给水温度宜小于 32℃，碳酸盐硬度宜控制在 80mg/L～450mg/L(以 $CaCO_3$ 计)，悬浮物宜小于 20mg/L，pH 值应为 6.5～8.5，并应满足水质稳定的要求。

10.2.4 锅炉用水的水质应符合现行国家标准《工业锅炉水质》GB/T 1576 的有关规定。

10.2.5 生产用水的水压应根据生产要求确定。车间进口的水压不宜小于 0.3MPa。

10.2.6 给水水源选择应根据水资源勘察资料和总体规划要求确定，并应符合下列规定：

1 水资源应可靠，满足生产、生活和消防的用水量；

2 符合卫生要求的地下水，应优先作为生活饮用水的水源；

3 生活饮用水的水质应符合现行国家标准《生活饮用水卫生标准》GB 5749 的有关规定；

4 应优先选用水质不需净化处理或只需简易净化处理的水源；

5 有条件时，可与农业、水利、邻近城镇和工业企业协作，综合利用水资源；

6 水源工程及配套设施应安全、经济，便于施工、管理和维护。

10.2.7 地下水的取水量应小于允许开采水量。

10.2.8 采用管井时应至少设置 1 口备用井，当发生事故时，备用井应能满足 80％的设计取水量。

10.2.9 取用地表水时，枯水期的流量保证率应为 90％～97％。

10.2.10 大型厂取水泵站和取水构筑物宜按 100 年一遇最高水位设计，枯水位的保证率宜按 95％设计、97％校核；中小型厂可按 50 年一遇最高水位设计，枯水位的保证率可按 90％设计、95％校核。

10.2.11 水源至工厂的输水工程应根据地形条件优先选用重力输水。输水管线宜设两条，当其中一条输水管线出现故障时，另一条输水管线应能保障 80％的设计输水量。当水源至工厂只设 1 条输水管或多座水源井分别以单管向工厂输水时，厂内应设置安全储水池或其他安全供水的设施。

10.2.12 循环冷却水系统应保持水质、水量平衡，并应符合现行国家标准《工业循环冷却水处理设计规范》GB 50050 的有关规定。

10.2.13 对水质要求较高的化验用水宜由生活给水系统供水。

10.2.14 同一个水泵站内宜选用同类型的水泵；每一组生产给水泵应设有备用泵。

10.2.15 生活饮用水管道不得与非生活饮用水管道直接连接。

10.2.16 生活和消防给水系统宜设置水量调节储存设施，有条件时应优先选用高位储水池。

10.2.17 生产和生活、厂内和厂外的用水应分别设置用水计量器具。

10.2.18 车间和独立建筑物的给水系统应与室外给水系统协调一致。

10.2.19 生产用水设备的进口水压应根据生产工艺和设备要求确定。

10.2.20 建筑物的引入管应设置控制阀门。用水设备的管道最高部位宜设置排气阀;管道最低处宜设置放水阀。

10.2.21 消防给水设计应符合现行国家标准《建筑设计防火规范》GB 50016 的有关规定。

10.3 排　　水

10.3.1 排水工程设计应结合当地规划,综合安排生活污水、洪水和雨水的排除。生活污水与雨水应分别排除。

10.3.2 污水排放及污水处理程度应符合现行国家标准《污水综合排放标准》GB 8978 的有关规定,并应取得当地环保主管部门的同意。

11 蒸汽动力

11.1 一般规定

11.1.1 蒸汽动力设计应满足生产工艺和控制以及节能、降耗、保护环境和保障人身安全的要求。

11.1.2 蒸汽动力设计应合理利用蒸汽资源、提高热能的重复利用率。

11.2 生产用汽

11.2.1 生产用汽压力和温度应满足工艺生产和控制要求，生产用汽宜采用不低于1.2MPa(表压)的饱和蒸汽。

11.2.2 用汽负荷应按下式计算：

$$Q = k_0(k_1Q_1 + k_2Q_2 + k_3Q_3 + k_4Q_4) + k_5Q_5 \quad (11.2.2)$$

式中：Q_1——采暖的最大热负荷(t/h或MW)；

Q_2——通风的最大热负荷(t/h或MW)；

Q_3——生产的最大热负荷(t/h或MW)；

Q_4——生活的最大热负荷(t/h或MW)；

Q_5——锅炉房自用热负荷(t/h或MW)；

k_0——室外管网热损失及漏损系数，按表11.2.2-1确定；

k_1、k_2、k_3、k_4、k_5——分别为采暖、通风、生产、生活和锅炉房自用热负荷同时使用系数，按表11.2.2-2确定。

表11.2.2-1 室外管网热损失及漏损系数

管道种类	敷设方式		
	架空	地沟	直埋
蒸汽管网	1.10～1.50	1.08～1.12	1.12～1.15

表 11.2.2-2 采暖、通风、生产、生活和锅炉房自用热负荷同时使用系数

项目	k_1	k_2	k_3	k_4	k_5
推荐值	0.7～1.0	0.7～0.9	1.0	0.5	0.8～1.0

注：生活用热负荷和生产用热负荷时间错开，则 $k_4=0$。

11.2.3 生产用汽热力控制室的布置应符合下列规定：

1 热力控制室布置应符合工艺流程、安全规程以及操作方便的要求，布置应紧凑，并应留有便于设备部件拆卸和检修的通道与空间；

2 热力控制室内主要操作通道宽度宜为2.0m～2.5m，非主要通道的宽度不应小于0.8m；

3 热力控制室的净空高度应满足蒸压釜等用汽设备最低管口要求；

4 热力控制室宜有良好的自然通风。

11.2.4 生产用汽管道设置应符合下列规定：

1 生产用汽管道应采用无缝钢管，并应符合现行国家标准《输送流体用无缝钢管》GB/T 8163或《低中压锅炉用无缝钢管》GB 3087的有关规定，管道材料应根据管内的最低工作温度选用。

2 生产用汽管道的敷设方式应根据气象、水文、地质、地形等条件和施工、运行、维修方便等因素综合确定，并应符合下列规定：

1）夏热冬冷地区、夏热冬暖地区和温和地区的生产用汽管道，宜采用架空敷设；

2）寒冷地区和严寒地区的生产用汽管道架空敷设时，应采取防冻措施；

3）严寒地区的生产用汽管道，宜与热力管道共沟或埋地敷设。

3 生产用汽管道穿过建筑物的沉降缝、伸缩缝、墙及楼板时应采取保护措施。

4 减压减温器、蒸压釜等设备上的放汽管、安全阀的排汽管应接至室外，排汽管道出口喷出的扩散汽流不得危及工作人员和邻近设施，排汽口离屋面（或楼面、平台）的高度不应小于2.5m。

5 生产用汽管道应计入热膨胀的补偿，并应充分利用管道的自然补偿，当不能满足要求时，应设置“Π”型或波形补偿器。

6 汽水管道支架、吊架的设计，应计入管道、阀门与附件的重量、管内水重、保温结构重量和由于管道热膨胀而作用在支架上的荷载。

7 生产用汽管道的低点和可能积水处应装设疏水阀、放水阀，放水阀的公称直径不应小于*DN*20。

8 设有坡度的管道，设计坡度不宜小于0.3%。

9 生产用汽管道及设备应设置安全泄放装置。

10 确定低压用汽设备的用汽压力时，应将用汽设备的安放高度作为影响因素之一。

11.2.5 生产用汽管道设计应符合现行国家标准《压力管道规范 工业管道》GB/T 20801、《工业金属管道设计规范》GB 50316、《工业设备及管道绝热工程设计规范》GB 50264 的有关规定。

11.3 蒸 汽 源

11.3.1 蒸汽动力源的选择应根据建厂地区总体规划、区域能源状况、环境保护要求、工艺和控制要求，通过技术经济比较确定。

11.3.2 蒸汽动力源采用自建锅炉房供应时应符合下列规定：

1 锅炉房设计应根据工厂总体规划，留有扩建余地。改建、扩建工程应合理利用原有建筑物、设备和管道。

2 锅炉台数的确定应符合下列规定：

1) 当选用1台就能满足热负荷和检修要求时，可只设置1台；

2) 当选用多台锅炉时，应通过技术经济方案比较后确定，锅炉炉型不宜超过2种；

3) 选用多台锅炉时，最小锅炉的出力应满足60%～75%热负荷的需要。

3 锅炉房设计应符合现行国家标准《锅炉房设计规范》GB 50041的有关规定。

11.3.3 蒸汽动力源采用外购汽源时，在扣除输汽管网的压力损失和温度损失后应满足工艺要求。供汽参数高于工艺要求时，应设置减压降温装置，调整后的饱和蒸汽压力应满足本规范第11.2.1条的规定。

11.3.4 蒸汽动力源采用外购汽源时应在蒸汽总管上设置蒸汽流量的计量装置。

11.3.5 蒸汽动力源输送到集中配汽站的管道上应设置安全泄放装置。

12 采暖、通风与空气调节

12.1 一般规定

12.1.1 采暖、通风与空气调节设计应根据建厂地区气象条件、总图布置、工艺和控制要求、区域能源状况及环境保护要求，通过技术经济比较确定。

12.1.2 采暖、通风与空气调节室外气象计算参数，应符合现行国家标准《采暖通风与空气调节设计规范》GB 50019 的有关规定；无建厂地区的气象资料时，可采用周围地理条件相似地区的气象资料。

12.1.3 通风和空气调节设计应有防火排烟的措施，并应符合现行的国家标准《建筑设计防火规范》GB 50016 的有关规定。

12.2 采暖

12.2.1 采暖设计应符合下列规定：

1 位于集中采暖地区的生产管理和生活建筑，有防寒要求或经常有人停留、工作，并对室内温度有一定要求的生产及辅助生产建筑，应设置集中采暖；

2 非集中采暖地区的工厂，当需要采暖时，生产管理和生活建筑、生产车间的控制室、值班室及辅助生产建筑，可设置集中采暖；

3 位于严寒或寒冷地区，设置集中采暖的生产管理和生活建筑、生产及辅助生产建筑，在非工作时间或中断使用的时间，室内温度应按不低于5℃设置值班采暖；

4 设置集中采暖的生产及辅助生产建筑，冬季室内采暖计算温度应按不低于10℃设计；

5　当采暖建筑物远离热力管网、热力管网布置困难、采暖建筑物过高，且采暖热负荷仅为小型控制室、值班室时，可设置局部采暖；

6　设置集中采暖的生产及辅助生产建筑，当散热器采暖难以保证采暖室内设计温度时，可用热风采暖补充；

7　储存或生产过程中能产生易燃、易爆气体或物料的建筑物，不得用明火采暖；

8　当采用电热采暖时，应采用防爆型电暖器及插座；

9　不同供暖方式的采暖间歇附加值宜符合表 12.2.1 的规定。

表 12.2.1　不同供暖方式的采暖间歇附加值

供暖方式	供暖热源类型	供暖时间(h/d)	间歇附加值(%)
连续供暖	热电站供热、区域连续供暖锅炉房	24	0
调节运行供暖	小区集中供暖锅炉房	16～24	10
间歇供暖	小型锅炉房(白天运行)	8～10	20

注：间歇附加值按采暖房间总耗热量计算。

12.2.2　采暖热媒的选择应符合下列规定：

1　寒冷地区的厂区采暖热媒宜采用 70℃～95℃低温热水；

2　严寒地区的厂区采暖热媒宜采用 70℃～110℃高温热水；

3　严寒地区的生产建筑采暖和收尘设备保温供热，热媒可采用蒸汽，蒸汽温度不应高于 120℃，凝结水回收率不应低于 60%；

4　利用余热或天然热源采暖时，采暖热媒及参数可根据具体情况确定。

12.2.3　热源设计应符合下列规定：

1　生活热负荷的供应应根据生产热负荷和蒸汽动力源供应情况统一规划确定，不应单独设置采暖锅炉房；

2　生活热负荷热源宜采用工厂蒸汽源设置汽—水换热装置

方式置换热源。

12.2.4 室外采暖热力管网设计应符合下列规定：

1 热水采暖管网应采用双管闭式循环系统；

2 蒸汽采暖管网宜采用开式系统，凝结水应回收；

3 厂区热力管道的布置，应根据建(构)筑物布置的方向与位置、热负荷分布情况、总平面布置要求和对其他管道的关系等因素确定，并应符合下列规定：

1)改建、扩建工程的热力管网应采用架空敷设；

2)新建厂的热力管网应采用直埋或地沟敷设，当建设场地条件不允许时可采用架空敷设；

3)严寒地区不宜采用架空敷设；

4)热力管道沿建(构)筑物架空敷设时，应预先计算并确认建(构)筑物对管道荷载的支承能力足以满足安全要求；

5)采用直埋方式敷设的热力管网中，敷设于地下水位以下的直埋管应有防水措施，穿越交通干道的管道应加设套管；

6)采用地沟敷设的热力管网中，供热干管及不允许开挖的地段应采用半通行或不通行地沟，当各种管道共沟敷设时应采用通行地沟，热力管应敷设在管沟内其他管道的上面；

7)地下热力管道的分支点装有阀门、仪表、放气、排水、疏水等附件时，应设置检查井，检查井和井内管道及附件的布置应满足安装、操作和维修的要求；

8)地下热力管沟、阀门井外壁，以及直埋管道、架空管道保温结构表面，与建(构)筑物及各种管道之间的最小水平净距、最小垂直净距，应符合本规范附录B～附录D的有关规定；

9)热负荷较大的生产及辅助生产建筑物采暖入口处，应设置温度、压力检测管座。

12.3 通　　风

12.3.1 通风设计宜采用自然通风，当自然通风不能满足要求时，可采用自然与机械的联合通风或机械通风。

12.3.2 建筑物内散发余热、余湿的生产过程和设备，宜采用局部通风，当局部通风不能满足要求时，应辅以全面排风或直接采用全面排风。

12.3.3 室内气流组织，不应使含有大量热、湿的空气流入人员活动区域，且不应破坏局部排风系统的正常工作。

12.3.4 蒸压釜釜门布置在厂房内时，厂房屋面宜采用天窗通风排气。

12.3.5 排放空气应符合现行国家标准《大气污染物综合排放标准》GB 16297 的有关规定。

12.3.6 自然通风设计应符合下列规定：

1 以自然通风为主的厂房，厂方方位宜根据主要进风面、建筑物形式，按夏季有利的风向布置；

2 采用自然通风的建筑物，车间内经常有人工作地点的夏季空气温度，应符合国家现行有关工业企业设计卫生标准的规定，当超出规定值时应设置机械通风。

12.3.7 机械通风设计应符合下列规定：

1 凡产生余热、余湿的建筑均应以消除室内余热、余湿量计算通风量，当缺乏必要的资料时，可按房间换气次数确定，换气次数不宜少于 6 次/h；

2 配电室应设置机械排风系统，排风量应按消除余热所需通风量来确定；

3 炎热气候下，厂房内的机、电修工段应设置移动式通风机。

12.3.8 事故通风设计应符合下列规定：

1 变电所的高压开关柜室、燃油(气)锅炉房、燃油附件间等辅助生产厂房应设置事故排风装置，事故排风系统应同经常使用的排热、排湿系统合用，并应在发生事故时能保证足够的排风量；

2 事故通风量，应按换气次数不少于12次/h计算；

3 事故通风机的电气开关，应分别设置在室内、室外便于操作的地点；

4 事故排风机宜设在有爆炸危险性的物质散发量最大的地点，并应采取防止气流短路措施；

5 排除有爆炸危险性物质的局部排风系统，通风机应采用防爆型电机。

12.4 空气调节

12.4.1 中控室、检测室、车间办公室，应根据生产工艺的要求设置空气调节系统；工厂办公室等建筑物，应根据当地气象条件或建设单位的要求设置空气调节系统。

12.4.2 在满足工艺要求和卫生要求的条件下，应减少空气调节的范围，当采用局部区域空气调节能满足要求时，不应采用全室性空气调节。

12.4.3 因工艺要求而设置的空气调节应采用空气调节室外计算参数；因卫生要求而设置的空气调节宜采用采暖室外计算参数和夏季通风室外计算参数。

12.4.4 围护结构的最大传热系数与最小传热阻、空气调节的负荷计算应符合现行国家标准《采暖通风与空气调节设计规范》GB 50019的有关规定。

13 辅助生产设施

13.1 一 般 规 定

13.1.1 纤维增强硅酸钙板工厂应设置压缩空气站、地磅站、机电维修车间等辅助生产设施。

13.1.2 辅助生产设施的配备应满足正常生产需要。

13.2 压缩空气站

13.2.1 压缩空气站设计应满足工艺用气要求，并应符合现行国家标准《压缩空气站设计规范》GB 50029 的有关规定。

13.2.2 压缩空气站宜靠近用气负荷中心区域，并应设置用于降温的排风管（或排风扇）。

13.2.3 压缩空气站的生产能力应按下式计算：

$$V = k_1 \times k_2 \times V_0 \qquad (13.2.3)$$

式中：V——压缩空气站的生产能力（m^3/min）；

V_0——各用气点压缩空气总消耗量（m^3/min）；

k_1——管道漏损及储备系数，取 1.10～1.25；

k_2——高原修正系数，当缺乏当地气象资料时，可按表 13.2.3 选取：

表 13.2.3 高原修正系数

海拔高度(m)	0	300	600	900	1200	1500
高原修正系数	1.00	1.04	1.07	1.11	1.16	1.20
海拔高度(m)	1800	2100	2400	2700	3000	—
高原修正系数	1.25	1.29	1.34	1.39	1.50	—

13.2.4 压缩空气使用前应进行充分干燥和除油。压缩空气站应配置空气压缩机、过滤器、干燥机及储气罐。

13.2.5 空气压缩机的选型和台数,应满足压缩空气站的生产能力,经技术经济比较后确定,宜选用螺杆式空气压缩机。

13.2.6 过滤器、干燥机的型号及台数应与空气压缩机配套选择。

13.2.7 储气罐宜布置在室外,罐体与压缩空气站外墙的净距不应小于1m,且不宜影响压缩空气站的采光和通风。

13.2.8 储气罐的容积应按下式计算:

$$V_c = k \times V \tag{13.2.8}$$

式中:V_c——储气罐容积(m^3);

V——空气压缩机总排气量(m^3/min);

k——经验系数,可按表13.2.8选取。

表13.2.8 经验系数

V(m^3/min)	<6	6～30	>30
k	0.2	0.15	0.1

13.2.9 当用气点距离压缩空气站较远且用量较大时,应在用气点附近另设储气罐,储气罐的容积应按下式计算:

$$V_c = 1.6\sqrt{v} \tag{13.2.9}$$

式中:V_c——储气罐容积(m^3);

v——用气点压缩空气消耗量(m^3/min)。

13.3 地 磅 站

13.3.1 地磅的选择应根据当地运输车辆的载重能力及长度确定。

13.3.2 地磅站进车端的道路应为平坡直线段,进车端道路的长度不宜小于2辆车长,条件有限时不应小于1辆车长;出车端的道路应有不小于1辆车长的平坡直线段。

13.3.3 秤体宜采用无坑基安装。

13.4 机电维修车间

13.4.1 机电维修车间的机械修理应由机、钳、铆、焊等工种组成，装备能力应能满足厂内主要设备的日常维护和检修，车间内宜设置起吊装置。

13.4.2 机电维修车间的电气维修工段应配置能满足生产线电气柜、电力回路日常维护和检修的工具及仪器仪表。

13.4.3 机电维修车间的地面荷载应符合要求，机床部分的地面荷载宜为 $1t/m^2 \sim 3t/m^2$，其他部分地面荷载宜为 $2t/m^2 \sim 3t/m^2$。

13.4.4 机电维修车间宜设置存放易爆物品的单独隔间。

14 节 能

14.1 一般规定

14.1.1 设计中应采用节能降耗的工艺技术和装备。

14.1.2 各专业采用的节能措施应相互协调。

14.1.3 纤维增强硅酸钙板工厂设计应按现行国家标准《用能单位能源计量器具配备和管理通则》GB 17167 的要求配备能源计量器具。

14.2 工艺、装备节能

14.2.1 纤维增强硅酸钙板工厂设计应采用先进、成熟、可靠的节能生产技术和生产装备，并宜根据当地条件综合利用工业废渣。

14.2.2 工艺布置应力求顺畅、紧凑，并应减少或避免中间物料及产品转运的能耗。

14.2.3 工艺、给排水、锅炉及电气等设备的选型，在满足生产工艺条件下，应选用节能型设备。

14.2.4 设计中应经济合理地确定隔热与保温材料及结构形式和厚度。

14.3 余热利用及节水设计

14.3.1 纤维增强硅酸钙板工厂应针对蒸压釜内的蒸汽，进行余汽回收再利用设计。

14.3.2 余汽回收再利用后，蒸压釜内未能回收的余汽可采取液化方式加以利用。

14.3.3 蒸压釜冷凝水宜集中排放至冷凝水池。

14.3.4 生产用水应循环利用。

14.4 节 电

14.4.1 供配电系统设计应符合下列规定：

1 变电所位置应靠近负荷中心，并应选择低损、节能型变压器；

2 变压器的容量、台数及运行方式应根据负荷性质确定；

3 供配电系统设计宜采用高压补偿与低压补偿相结合、集中补偿与就地补偿相结合的无功补偿方式，企业计费侧最大负荷时的功率因数应满足当地供电部门的要求；

4 变压器的运行负载率宜为75%～85%；

5 供配电系统设计应减少供电系统的高次谐波，并应保持变压器三相电流平衡。

14.4.2 电气设备的选型应符合下列规定：

1 应合理选择用电设备功率；

2 风机、水泵、空气压缩机等设备宜采用变频调速控制；

3 对于容量较大、无调速要求的设备，宜用电机节电器、进相机或电容就地补偿方式进行无功功率补偿。

14.4.3 照明节能设计应符合下列规定：

1 在满足照明质量和视觉效果的要求下宜采用高光效节能灯具；

2 厂区路灯照明宜设置自动控制器，条件允许时可使用太阳能路灯；

3 疏散指示灯、走廊灯等小照度灯具可使用节能型光源。

15 环境保护

15.1 一般规定

15.1.1 环境保护应结合建设地区的环境现状以及粉尘、烟气、固体废弃物、废水、噪声等污染物的特点，因地制宜地进行环保设施配置以及污染防控设计。

15.1.2 车间内应将相互影响的加工区域隔开。

15.1.3 设计中采用的环境保护标准应符合国家现行的排放标准，并应满足当地环保部门的有关要求。

15.2 废水污染防治

15.2.1 生产废水和生活污水的管网应分开布置。

15.2.2 污水排放应经环境影响评价论证并得到当地环保部门的批准，同时应符合现行国家标准《污水综合排放标准》GB 8978 的规定，并应满足当地环保部门的有关要求。

15.3 大气污染防治

15.3.1 废气排放应符合现行国家标准《大气污染物综合排放标准》GB 16297、《锅炉大气污染物排放标准》GB 13271 和环境质量要求，并应满足地方有关排放的要求。

15.3.2 锅炉房的废气在排放前应采取脱硫措施。

15.3.3 烟囱高度应根据对大气环境的影响程度计算确定，并应符合现行国家标准《大气污染物排放标准》GB 16297、《锅炉大气污染物排放标准》GB 13271 的有关规定。当烟囱高度受到限制时，应采取合并烟囱、提高烟气抬升高度等措施。

15.3.4 锅炉应装设收尘器。收尘效率应满足国家及地方有关排放标准和大气环境质量要求。

15.4 固体废弃物污染防治

15.4.1 纤维增强硅酸钙板工厂产生的固体废弃物宜综合利用。

15.4.2 不能利用的固体废物应做无害化堆置，统一处理。

15.5 噪声污染防治

15.5.1 厂界噪声限值应符合现行国家标准《工业企业厂界环境噪声排放标准》GB 12348 的有关规定。噪声控制设计应符合现行国家标准《工业企业噪声控制设计规范》GB/T 50087 的有关规定。

15.5.2 设备选型时应选用低噪声设备，并应采用控制噪声传播的布置形式。

15.5.3 产生较强振动及冲击的磨机、浇注搅拌机设备应进行隔振设计。对隔振要求较高的车间或设备，应远离振动较强的设备或其他振动源。强烈振动设备之间应采用柔性连接，有强烈振动的管道不应与建(构)筑物、支架有刚性连接。

15.5.4 风机、空气压缩机等设备，应采取噪声防治措施，宜采取壳体噪声隔离和建筑隔离等措施。产生空气动力噪声的设备，在排气口处应设置消声器。

15.5.5 钢质溜管、钢质料仓壁宜采取隔声措施。

15.5.6 隔振装置及支承结构形式，应根据设备类型、振动强弱、扰动频率等特点以及建筑、环境和操作者对振动噪声的限制要求等因素确定。隔振设计目标值应符合本规范附录 F 规定的噪声限制值。

15.6 环境保护设施

15.6.1 与环境保护有关的设施，宜包括下列范围：

1 燃煤锅炉房除灰渣系统、脱硫废水及污泥处理系统；

2 原料储存及气力输送系统；

3 生产配料系统；

4 板材砂光、磨边倒角等后加工系统。

15.6.2 环境保护设施设计应包括下列内容：

1 收尘设备；

2 烟囱；

3 废水及污泥处理设备；

4 消声器和隔声室；

5 环境监测站及监测仪器设备。

16 职业安全卫生

16.1 一般规定

16.1.1 职业安全卫生的技术和设施应与主体工程同时设计、同时施工、同时投入使用。

16.1.2 职业安全卫生设计应符合国家对工业企业卫生设计的有关规定。

16.2 防火与防爆

16.2.1 车间的火灾危险性类别、厂房的最低耐火等级应符合本规范附录A的规定。

16.2.2 各车间的防火距离、可燃油品(或可燃气体)储罐区及附属设施的布置和防火间距应符合现行国家标准《建筑设计防火规范》GB 50016的有关规定。

16.2.3 电力装置的防火、防燃设计应符合现行国家标准《爆炸危险环境电力装置设计规范》GB 50058的有关规定。

16.2.4 压力容器、压力管道设计应符合现行国家标准《压力容器》GB 150、《压力管道规范　工业管道》GB/T 20801的有关规定。

16.2.5 建筑物灭火器设置应符合现行国家标准《建筑灭火器配置设计规范》GB 50140的有关规定。

16.3 防机械伤害

16.3.1 生产设备的设计应符合现行国家标准《机械安全　防护装置　固定式和活动式防护装置设计与制造一般要求》GB/T 8196及《生产设备安全卫生设计总则》GB 5083的有关规定。

16.3.2 起重机械的安全装置应符合现行国家标准《起重机械安全规程》GB 6067 的有关规定。

16.3.3 生产过程中转动设备、电动部件应设置防护罩或防护网，工作平台、地坑四周应设防护栏杆，需跨越设备处，应设人行过桥。

16.3.4 设备的布置应便于工人安全操作。

16.4 防 电 伤

16.4.1 手提照明灯、高度不足 2.5m 的照明灯、危险环境的局部照明和携带式电动工具等，均应采用 36V 安全电压。工作地点狭窄、行动困难以及周围有大面积接地导体环境的手提照明灯，应采用 12V 安全电压。

16.4.2 对于不便绝缘或即使绝缘也不足以保证人身安全的机电设备，应采取遮栏、栅栏、护网、护罩、箱匣、围墙等形式的屏护措施。

16.4.3 用金属材料制成的屏护装置应接地或接零，变配电设备、安装在室外地上的变压器以及安装在车间或公共场所的变配电装置，均应设屏护装置。

16.4.4 屏护装置应有足够的尺寸，并应与带电体保持足够的距离。遮栏、栅栏高度不得低于 1.7m、下部边缘离地面不应超过 0.1m。

16.4.5 对低压设备网眼遮栏与裸导体距离不得小于 0.15m；10kV 设备不得小于 0.35m；20kV～35kV 设备不得小于 0.60m。网眼屏护装置的网眼不应大于 20mm×20mm～40mm×40mm。在带电体及屏护装置上应有警示标志，也可附加声光报警和联锁装置。

16.4.6 在带电体与地面之间、带电体与其他设备和设施之间、带电体相互之间均应保持安全距离。安全距离应根据电压等级、设备类型、安装方式等因素确定。

16.4.7 对于多尘、潮湿场所或人员易触碰到的电机、电器,应装设漏电保护器,并应设立警示标志。

16.4.8 物料堆场的电路布线应有防晒、防冻、防水、防雷击等措施。

16.4.9 各种配电柜(或分线柜)均应加锁保护。

16.5 防雷击

16.5.1 建(构)筑物的防雷措施应根据地理、地质、气象、环境、雷电活动规律以及被保护物的特点确定。

16.5.2 建(构)筑物应根据生产性质、发生雷电事故的可能性、后果及防雷要求进行分类,并应符合下列规定:

1 储气站、储油罐以及预计雷击次数多于 0.3 次/a 的住宅、办公楼等应为第二类防雷建(构)筑物;

2 凡属下列情况之一时,应为第三类防雷建(构)筑物:

1)预计雷击次数多于或等于 0.06 次/a,且少于或等于 0.3 次/a 的宿舍、办公楼等一般性民用建筑物;

2)预计雷击次数多于或等于 0.06 次/a 的一般性工业建筑物;

3)一般性生产车间厂房;

4)平均雷暴日多于 15d/a 的地区,且高度在 15m 及以上的烟囱、水塔等孤立的构筑物;平均雷暴日少于或等于 15d/a 的地区,且高度在 20m 以上的烟囱、水塔等孤立的构筑物。

16.5.3 各类建(构)筑物的防雷措施应符合现行国家标准《建筑物防雷设计规范》GB 50057 的有关规定。

16.5.4 雷雨天气时不得在室外操作吊车、叉车等设备。

16.5.5 雷雨天气时不得使用无线通信设备。

16.5.6 变配电设备应设有防雷装置,电气设备宜装设过电压保护器。

16.6 防 烫 伤

16.6.1 当设备、管道及附件符合下列条件之一时，应做保温隔热设计：

1 外表面温度高于 50℃且需要减少散热损失者；

2 要求防冻、防凝露或延迟介质凝结者；

3 工艺生产中不需保温的、外表面温度超过 60℃，经常操作维护且无法采取其他措施防止烫伤人员的部位。

16.6.2 需防止烫伤人员的部位应在下列范围内设置防烫伤保温：

1 管道距地面或平台的高度小于 2.10m；

2 与操作平台水平距离小于 0.75m。

16.6.3 除防烫伤要求保温的部位外，排汽管道及附件可不保温。

16.6.4 环境温度不高于 27℃时，设备和管道保温结构外表面温度不应超过 50℃；环境温度高于 27℃时，保温结构外表面温度可比环境温度高 25℃，但防烫伤保温结构的外表面温度不应超过 60℃。

16.7 防 噪 声

16.7.1 高噪声生产场所宜设置控制、监督、值班用的隔声室，高噪声设备宜布置在隔声的设备间内，并应与操作区分开。

16.7.2 强烈振动设备结构基座应采用隔振基座，设备底部应安装隔振元件。

16.7.3 在无法彻底消除噪声时，操作人员应配备耳塞、耳罩等防护用品。

16.8 防 尘

16.8.1 纤维增强硅酸钙板工厂设计时，应对整个生产过程中的粉尘危害进行辨识和评估，应明确所有产生粉尘的作业场所、工艺过程、设备及原（辅）料、中间产品、副产品，并应建立职业卫生档案。

16.8.2 产生粉尘作业场所的防尘设计应符合国家对工业企业卫生设计的有关规定。

16.8.3 防尘设备、设施应保证作业场所中有害物质浓度符合现行国家标准《大气污染物综合排放标准》GB 16297 的有关规定。在厂区气象条件、洁净度要求与防尘措施有矛盾时，应采取其他措施，保证作业人员健康。

16.8.4 板材后加工工段中的砂光、磨边倒角工序必须设置收尘设备。

16.8.5 粉状物料筒仓进出料点以及料浆制备中粉状物料的卸料点，均应采取粉尘治理措施。

附录A　纤维增强硅酸钙板工厂建(构)筑物的火灾危险性类别、最低耐火等级及防火间距

表A　纤维增强硅酸钙板工厂建(构)筑物的火灾危险性类别、最低耐火等级及防火间距

序号					1	2	3	4	5	6	7	8	9	10	11	12	13	14
生产火灾危险性类别					戊	戊	丁	丙	丙	戊	戊	乙	丁	戊	—	—	—	—
最低耐火等级					二	二	三	二	二	二	三	二	二	三	二	三	二	二
序号	生产火灾危险性类别	最低耐火等级	防火间距(m) / 建(构)筑物名称		主要生产厂房		辅助生产厂房								生产管理、生活建筑			
					主生产车间	成品库	压缩空气站	变电所	辅助材料储存间	循环水泵站	机电维修车间	纸浆储存间	锅炉房	地磅站	工厂办公室	车间办公室	倒班宿舍	食堂
14	—	二	生产管理、生活建筑	食堂	10	10	12	10	10	10	12	30	10	12	10	12	10	
13	—	二	生产管理、生活建筑	倒班宿舍	10	10	12	10	10	10	12	30	10	12	10	12		
12	—	三	生产管理、生活建筑	车间办公室	12	12	14	12	12	12	14	30	12	14	12			
11	—	二	生产管理、生活建筑	工厂办公室	10	10	12	10	10	10	12	30	10	12				

10	戊	三	辅助生产厂房	地磅站	12	12	14	12	12	12	14	12	12	
9	丁	二		锅炉房	10	10	12	10	10	10	12	10		
8	乙	二		纸浆储存间	10	10	12	10	10	10	12			
7	戊	三		机电维修车间	12	12	14	12	12	12				
6	戊	二		循环水泵站	10	10	12	10	10					
5	丙	二		外加剂储存间	10	10	12	12						
4	丙	二		变电所	10	10	12							
3	丁	三		压缩空气站	12	12								
2	戊	二	主要生产厂房	成品库	10									
1	戊	二		主生产车间										

注:1 防火间距应按相邻建筑物外墙的最近距离计算,当外墙有凸出的燃烧构件时,则应从凸出部分外缘算起;

2 两座厂房相邻较高一面的外墙为防火墙时,防火间距不限。

附录B　地下管线与建(构)筑物之间的最小水平净距

表B　地下管线与建(构)筑物之间的最小水平净距(m)

管线名称及规格 / 建(构)筑物名称及测距位置	给水管(mm)				排水管(mm)						电力电缆(kV)		通信电缆	电缆沟	热力管(沟)	压缩空气管
					污水管			雨水管								
	<75	75～150	200～400	>400	<300	400～600	>600	<800	800～1500	>1500	<10	10～35				
建(构)筑物基础外缘	2.0	2.0	2.5	3.0	1.5	2.0	2.5	1.5	2.0	2.5	0.5	0.8	0.5	1.5	1.5	1.5
围墙基础外缘	1.0	1.0	1.0	1.0	1.0	1.0	1.0	1.0	1.0	1.0	0.5	0.5	0.5	1.0	1.0	1.0
排水沟外缘	0.8	0.8	0.8	0.8	0.8	0.8	1.0	0.8	0.8	1.0	0.8	1.0	0.8	1.0	0.8	0.8
道路路面(肩)边缘	0.8	0.8	1.0	1.0	0.8	0.8	1.0	0.8	0.8	1.0	0.8	1.0	0.8	0.8	0.8	0.8
通信、照明杆柱中心	0.8	0.8	1.0	1.0	0.8	1.0	1.2	0.8	1.0	1.2	0.5	0.5	0.5	0.8	0.8	0.8
低压电力杆柱中心	1.0	1.0	1.2	1.2	1.0	1.0	1.5	1.0	1.0	1.5	0.8	1.0	1.0	1.5	1.0	1.5
管架基础边缘	0.8	0.8	1.0	1.0	0.8	0.8	1.2	0.8	0.8	1.2	0.5	0.5	0.5	0.8	0.8	0.8
人行道外缘	0.5	0.5	0.8	0.8	0.5	0.5	0.8	0.5	0.5	0.8	0.5	0.5	0.5	0.5	0.5	0.5

注：低压电力杆柱是380V及以下柱杆，超过者应按本表所列数值增加1.5倍～2.0倍。

附录C　地下管线之间的最小水平净距

表C　地下管线之间的最小水平净距

管线名称		给水管(mm)				压缩空气管	热力管(沟)	电缆沟	通信电缆		电力电缆(kV)		
		<75	75～150	200～400	>400				管道	直埋	<1	1～10	<35
生产废水管(mm)	<800	0.7	0.8	1.0	1.0	0.8	1.0	1.0	0.8	0.8	0.6	0.8	1.0
	800～1500	0.8	1.0	1.2	1.2	1.0	1.2	1.2	1.0	1.0	0.8	1.0	1.0
	>1500	1.0	1.2	1.5	1.5	1.2	1.5	1.5	1.0	1.0	1.0	1.0	1.0
生活污水管(mm)	<300	0.7	0.8	1.0	1.2	0.8	1.0	1.0	0.8	0.8	0.6	0.8	1.0
	400～800	0.8	1.0	1.2	1.5	1.0	1.2	1.2	1.0	1.0	0.8	1.0	1.0
	>800	1.0	1.2	1.5	2.0	1.2	1.5	1.5	1.0	1.0	1.0	1.0	1.0
电力电缆(kV)	<1	0.6	0.6	0.8	0.8	0.8	1.0	0.5	0.5	0.5			
	1～10	0.8	0.8	1.0	1.0	0.8	1.0	0.5	0.5	0.5			
	<35	1.0	1.0	1.0	1.0	1.0	1.0	0.5	0.5	0.5			
通信电缆	管道	0.5	0.5	1.0	1.2	1.0	0.6	0.5					
	直埋	0.5	0.5	1.0	1.2	0.8	0.8	0.5					
电缆沟		0.8	1.0	1.2	1.5	1.0	2.0						
热力管(沟)		0.8	1.0	1.2	1.5	1.0							
压缩空气管		0.8	1.0	1.2	1.5								

注:同类管线未作规定,按具体情况确定。

附录D 地下管线之间的最小垂直净距

表D 地下管线之间的最小垂直净距

最小垂直净距(m) / 管线名称（列）/ 管线名称（行）		给水管	排水管（沟）	热力沟(管)	压缩空气管线	电力电缆	电缆沟（管）	通信电缆	
								直埋电缆	电缆管道
给水管		0.15	0.40	0.15	0.15	0.50	0.25	0.50	0.15
排水管(沟)		0.40	0.15	0.15	0.15	0.50	0.25	0.50	0.15
热力沟(管)		0.15	0.15	0.15	0.15	0.50	0.25	0.50	0.50
压缩空气管线		0.15	0.15	0.15	0.15	0.50	0.25	0.50	0.25
电力电缆		0.50	0.50	0.50	0.50	—	0.25	0.50	0.50
电缆沟(管)		0.25	0.25	0.25	0.25	0.25	—	0.50	0.50
通信电缆	直埋电缆	0.50	0.50	0.50	0.50	0.50	0.25	—	
	电缆管道	0.15	0.15	0.50	0.25	0.50	0.50	—	—
排水明沟沟底		0.50	0.50	0.50	0.50	0.50	0.50	0.50	0.50

注：1 表中管道、电缆和电缆沟最小垂直净距，系指下面管道或管沟的外顶与上面管道的管底或管沟基础底之间的净距；

2 当电力电缆采用隔板分隔时，电力电缆之间及其到其他管线(沟)的距离可为0.25m；

3 当有防护措施时，地下管沟与道路交叉的最小垂直净距，可小于表列数值。

附录E　生产车间及辅助建筑最低照度标准

表E　生产车间及辅助建筑最低照度标准

工作场所	最低照度(lx)			补偿系数	一般显色指数 Ra
	混合照明		一般照明		
	局部照明	一般照明			
原料堆场	100	15	—	1.5	20
主生产车间原料破碎与粉磨工段	100	50	—	1.5	40
锅炉房	—	—	50	1.5	20
机电维修车间	150	50	—	1.3	60
压缩空气站	—	—	50	1.3	40
变电所	—	—	100	1.2	40
成品库	—	—	20	1.5	40
主生产车间控制室	—	—	300	1.2	90
工厂办公室	100	30	—	1.3	80
单身倒班宿舍	—	—	100	1.3	90
检测室	200	30	—	1.3	80

附录F 工厂各类地点噪声控制标准

表F 工厂各类地点噪声控制标准

序号	地点类别	噪声限值[dB(A)]
1	主生产车间原料破碎与粉磨工段、纸浆制备工段、制板工段、蒸压养护工段；压缩空气站；锅炉房等作业场所(每天连续接触噪声8h)	80
2	主生产车间控制室(正常工作状态)	70
3	车间办公室	70
4	工厂办公室(含会议室)、检测室(室内背景噪声级)	60
5	倒班宿舍(室内背景噪声级)	55

本规范用词说明

1 为便于在执行本规范条文时区别对待，对要求严格程度不同的用词说明如下：

1）表示很严格，非这样做不可的：

正面词采用“必须”，反面词采用“严禁”；

2）表示严格，在正常情况下均应这样做的：

正面词采用“应”，反面词采用“不应”或“不得”；

3）表示允许稍有选择，在条件许可时首先应这样做的：

正面词采用“宜”，反面词采用“不宜”；

4）表示有选择，在一定条件下可以这样做的，采用“可”。

2 条文中指明应按其他有关标准执行的写法为：“应符合……的规定”或“应按……执行”。

引用标准名录

《建筑地基基础设计规范》GB 50007
《建筑结构荷载规范》GB 50009
《建筑给水排水设计规范》GB 50015
《建筑设计防火规范》GB 50016
《采暖通风与空气调节设计规范》GB 50019
《湿陷性黄土地区建筑规范》GB 50025
《压缩空气站设计规范》GB 50029
《建筑照明设计标准》GB 50034
《锅炉房设计规范》GB 50041
《工业循环冷却水处理设计规范》GB 50050
《烟囱设计规范》GB 50051
《供配电系统设计规范》GB 50052
《低压配电设计规范》GB 50054
《通用用电设备配电设计规范》GB 50055
《建筑物防雷设计规范》GB 50057
《爆炸危险环境电力装置设计规范》GB 50058
《电力装置的电测量仪表装置设计规范》GB/T 50063
《给水排水工程构筑物结构设计规范》GB 50069
《钢筋混凝土筒仓设计规范》GB 50077
《工业企业噪声控制设计规范》GB/T 50087
《膨胀土地区建筑技术规范》GB 50112
《建筑灭火器配置设计规范》GB 50140
《工业建筑可靠性鉴定标准》GB 50144
《工业企业总平面设计规范》GB 50187

《公共建筑节能设计标准》GB 50189
《构筑物抗震设计规范》GB 50191
《电力工程电缆设计规范》GB 50217
《工业设备及管道绝热工程设计规范》GB 50264
《工业金属管道设计规范》GB 50316
《民用建筑设计通则》GB 50352
《钢筒仓技术规范》GB 50884
《厂矿道路设计规范》GBJ 22
《压力容器》GB 150
《通用硅酸盐水泥》GB 175
《工业锅炉水质》GB/T 1576
《低中压锅炉用无缝钢管》GB 3087
《环境空气质量标准》GB 3095
《生产设备安全卫生设计总则》GB 5083
《生活饮用水卫生标准》GB 5749
《起重机械安全规程》GB 6067
《输送流体用无缝钢管》GB/T 8163
《机械安全　防护装置　固定式和活动式防护装置设计与制造一般要求》GB/T 8196
《污水综合排放标准》GB 8978
《工业企业厂界环境噪声排放标准》GB 12348
《锅炉大气污染物排放标准》GB 13271
《电能质量　公用电网谐波》GB/T 14549
《大气污染物综合排放标准》GB 16297
《用能单位能源计量器具配备和管理通则》GB 17167
《压力管道规范　工业管道》GB/T 20801
《未漂白硫酸盐针叶木浆》GB/T 24321
《硅酸盐建筑制品用粉煤灰》JC/T 409
《建筑消石灰》JC/T 481

《硅酸盐建筑制品用砂》JC/T 622

《水泥制品工艺技术规程　第7部分:硅酸钙板/纤维水泥板》JC/T 2126.7

《混凝土用水标准》JGJ 63

《冻土地区建筑地基基础设计规范》JGJ 118

中华人民共和国国家标准

纤维增强硅酸钙板工厂设计规范

GB 51107 - 2015

条 文 说 明

制 订 说 明

《纤维增强硅酸钙板工厂设计规范》GB 51107—2015，经住房城乡建设部2015年5月11日的第816号公告批准发布。

本规范在编制过程中，编制组对我国纤维增强硅酸钙板工厂的设计进行了大量的调查研究，总结了我国纤维增强硅酸钙板工厂工程建设的实践经验，同时参考了国外先进生产技术和技术标准，取得了纤维增强硅酸钙板工厂设计方面的重要技术参数。

为便于广大设计、施工、科研、学校等单位有关人员在使用本规范时能正确理解和执行条文规定，《纤维增强硅酸钙板工厂设计规范》编制组按章、节、条的顺序编制了本规范的条文说明，对条文规定的目的、依据以及执行中需注意的有关事项进行了说明，还着重对强制性的条文的强制性理由作了解释。但是，本条文说明不具备与规范正文同等的法律效力，仅供读者作为理解和把握标准规定的参考。

目　　录

1 总　　则

1.0.2 纤维水泥平板与纤维增强硅酸钙板的生产工艺基本相同，因而新建、扩建和改建纤维水泥平板工厂的设计可以参照本规范执行。

2 术　　语

2.0.5 预养工序可以采用预养室加热养护，也可常温自然养护。

3 基本规定

3.0.3 堆垛产量是指堆垛机每小时实际堆放的板坯张数，堆垛产量应综合制板机产量、堆垛机工作周期、板坯合格率、更换堆垛小车所放弃的板坯数量等因素确定。

4 总体规划与厂址选择

4.1 总体规划

4.1.1 厂区平面布局、规划控制指标、用地控制红线、建筑形式等,应与当地规划相协调。

4.1.2 应根据工厂所在地的生产、交通、公用设施及其发展条件进行认真研究和方案比较,对工厂生产分区、自建的生活区、厂外交通运输线路及厂外自建的其他工程设施的位置进行统筹规划。

4.2 厂址选择

4.2.1 厂址靠近交通线路,既可以减少建设投资,又有利于原料的供应,还可降低运输费用、节省能耗、提高效益。此外,对于供水、供电都有其方便之处。

4.2.2 根据现行国家标准《建筑地基基础设计规范》GB 50007 和《岩土工程勘察规范》GB 50021 的要求,提出工程地质和水文地质条件,是厂址选择必须考虑的重要因素之一。厂址选择时,应调查分析每个拟选厂址的区域地质、工程地质、水文地质、岩土种类、场地的稳定性、地基条件和地基承载力等。按照上述两个规范确定的工程重要性等级和场地的复杂程度、地基的复杂程度等级,来分析拟选厂址的工程地质和水文地质情况,作为厂址选择和方案比较的依据。

4.2.3 根据《中华人民共和国环境保护法》和《建设项目环境保护管理办法》(国环字〔1986〕003 号)的要求制定本条规定。将厂址设在非窝风地带,主要是要使厂区处在良好的自然通风地带,能较快地排除烟气。

5 总 图 运 输

5.1 一 般 规 定

5.1.3 制定本条规定是为了有效减少新征土地面积和建筑物拆迁面积。

5.1.4 本条列举了工厂建设的主要技术经济指标，其中建筑系数应按下式计算：

$$k = \frac{S_1 + S_2 + S_3}{S} \times 100\% \tag{1}$$

式中：k——建筑系数(%)；

S_1——建(构)筑物用地面积(m^2)；

S_2——露天设备用地面积(m^2)；

S_3——原料堆场及露天操作场用地面积(m^2)；

S——厂区用地面积(m^2)。

5.2 总平面布置

5.2.2 将大型建(构)筑物和生产装备等布置在土质均匀、土壤允许承载力较大的地段，可以避免产生不均匀下沉，且节省地基工程费用。

较大、较深的地下建(构)筑物，布置在地下水位较低的填方地段，可以减少土石方工程量和防水处理工程费用。

5.2.4 变电所是企业生产的关键设施，应确保安全供电。

2 应考虑高压线的进出线对方位、走向和通廊宽度的要求，且有利于扩建发展；

3 防止电气设备受到振动而损坏，造成停电事故；

4 电气设备若受到烟尘污染、有害气体的腐蚀或潮湿侵害，可导致绝缘电阻的功能下降、泄漏电流增大，造成短路事故。

5.2.9 生产管理及生活服务设施的用地面积执行国家有关规定，严禁在工业项目用地范围内建造成套住宅、专家楼、宾馆、招待所和培训中心等非生产性配套设施。

5.3 交通运输

5.3.1 本条规定是厂内道路布置应遵循的基本原则。厂区道路布置时以主干道把厂区划分为若干个分区，组成环状式道路网。当地形均较平坦，采用环形布置比较适宜。若在山区建厂，受地形条件限制道路呈环形布置有困难时，可根据厂区地形等条件因地制宜地决定布置形式。

5.3.2 厂内道路路面结构类型应按使用要求和路基、气象、材料等条件选定，类型不宜过多。

5.3.4 厂内道路交叉口路面内缘转弯半径设计可按表5.3.4选用，该表是根据现行国家标准《厂矿道路设计规范》GBJ 22的规定编列的。表中各值在场地条件受限制时可以适当减少。

5.3.8 本条规定厂区内人行道布置的原则。

1 一个人行走所占宽度为：空手行走时约需0.6m，单手携物约需0.7m～0.8m，双手携物约需1.0m，一般按0.75m计；

2 当屋面为无组织排水时，人行道紧靠建筑物散水坡布置，行人势必受雨水溅射，故人行道与建筑物间最小净距以1.5m为宜。当利用建筑物散水坡作为人行道时，需保证建筑物窗户开启时不得妨碍行人通行。

5.3.9 选用较大的交叉角度，有利于运行安全。本条文对道路交叉角未做严格规定，仅规定不宜小于45°。

5.5 防洪工程

5.5.1 防洪工程有设置防洪截水沟、排水沟、防洪堤等，可根据厂址所在地的实际情况按需选择。

5.5.3 防洪沟按当地防洪相关规定进行设计。

6 原　　料

6.1 一般规定

6.1.2 应对原料进行检测，为工艺方案设计提供依据。应在综合分析原料质量、生产产品的可行性、原料对产品性能适宜性的基础上选用适宜工艺。

6.1.3 生产过程中产生的硬废料是指蒸压后产生的边料及不合格品，应经过破碎、粉磨等工艺处理后，重新投入配料工序。

6.2 原料要求及配比

6.2.1 纤维增强硅酸钙板生产原料包括硅质材料（如砂、硅藻土、粉煤灰）、钙质材料（如水泥、消石灰粉、电石泥）、增强纤维（如纸浆、硅灰石、玻璃纤维等），以及填料和外加剂等。其中砂、消石灰粉、水泥、纸浆为产品的主要原材料，其他材料根据需要选择使用。

6.2.2 现行行业标准《硅酸盐建筑制品用砂》JC/T 622—2009 对砂的要求如下：

项　目	SiO_2	K_2O+Na_2O	SO_3	烧失量	含泥量
要求值	≥70%	≤1.5%	≤1%	<1.5%	≤3%

砂的细度应满足 0.08mm 方孔筛筛余量不大于 10%（或 0.045mm 方孔筛筛余量不大于 30%）的要求，当砂的细度不满足要求时，设计中应采用粉磨工艺。

6.2.3 板材应具有良好的工艺性能，生产工艺流程简捷；所采用原料宜品种少、来源广泛、价格低廉、无污染；在采用非常用原料生产时，除了进行原料试验外，宜进行工业性试验，确定原料适宜性后再确定是否投入生产。

6.3 物料平衡

6.3.3 计算物料平衡时化学结合水的含量可以按经验公式：$B=Q_g\times6\%$。

7 生 产 工 艺

7.1 一 般 规 定

7.1.2 原料磨细、制浆集中布置是为了避免粉尘、噪声外逸。

7.1.5 本条对物料输送设计作了规定。

5 选用密闭输送设备是为了避免干粉物料在输送过程中产生扬尘。

6 料浆输送宜采用耐磨性能良好的泵,泵的扬程可按公式7.2.15计算。

7 输送管道设置坡度是为避免料浆在管道中沉积,防止管道堵塞。

7.1.6 特殊要求是指有特殊结构和防护要求,对电机需降负荷使用。

由于海拔高,空气稀薄,转子和定子之间的间隙的导磁能力差,直接影响到电机的额定功率输出。电机带动负荷的能力减小,同时发热量也增大,从而引起效率降低。

对于由空气进行冷却的设备、电动机,在高原由于气体密度减小,冷却风量大幅度降低,会引起电机温度升高,所以在高原电机需降负荷使用。如采取其他冷却方式,比如液体冷却,就可避免上述情况。

7.2 原料储存与制备

7.2.4 表7.2.4中筒仓及溜管角度的取值为最小锥角,有辅助下料措施时可适当减小。

7.2.8 物料系数应根据物料易磨性、入磨粒径及出磨细度要求综合确定。磨机不宜全天连续运转。有条件使用低谷电时,应在确定工作时间后核定磨机的能力。

7.2.14 本条为强制性条文,必须严格执行。由于生产中产生的废水、废浆以及边角余料等废料的量很大,若不循环利用,将造成大量物料以及水资源的浪费,且会造成环境污染。在生产中产生的废水、废浆均直接回用于生产线,边角余料经打浆后回用于生产线,以满足环保及经济方面的要求。

7.2.16 本条规定是防范料浆在管道中沉积,引起管道堵塞。

7.2.19 收尘风管应竖直或倾斜布置,避免粉尘在管道中沉积,防止管道堵塞。

本条规定收尘风管内的风速,主要为确定收尘管道尺寸。收尘管道尺寸取决于被处理风量和管道风速,风量一般变化不大,所以管道尺寸确定的主要参数是管道风速,管道风速低于建议值,可降低能耗,但是粉尘可能沉积在管道内,引起管道堵塞。风速大于建议值,能提高收尘效果,但能耗增大,还会加剧管道磨损。因此,选择合适的风速十分重要,设计时可通过在管道上设置风量调节阀来调节管道内风速。

7.3 配料与制浆

7.3.5 采用软连接是为了保证计量准确。

7.4 制板、接坯、堆垛

7.4.8 制板工段配置料浆回收系统可以对预搅拌罐及网箱溢流料浆、流浆箱与网箱剩余料浆等收集后送入料浆储罐或是预搅拌罐,以便及时使用,并避免将上述料浆与回水混合,增加回水系统处理压力。

7.4.10 堆垛工段设备具体配置可参考表1。

表1 堆垛工段设备配置

堆垛产量(张/h)	折合年产量(m^2)	堆垛工段设备配置
150	300万	堆垛机为单吸盘,不配升降平台

续表 1

堆垛产量(张/h)	折合年产量(m²)	堆垛工段设备配置
150～300	300 万～600 万	堆垛机为单吸盘,配升降平台
		堆垛机为双吸盘,不配升降平台
300～350	600 万以上	堆垛机为双吸盘,配升降平台

注:1 年产量按成品规格 2440mm×1220mm、年生产 6750h 折算;

2 当堆垛机工作周期可满足产能需要时,可不设置升降平台。

7.4.12 N 的计算方法见本规范第 7.6.6 条。

7.5 生产用水循环系统

7.5.1 纤维增强硅酸钙板工厂生产过程中所需要的水量较大,为节约水资源应设计生产用水循环系统。

7.5.2 本条对生产用水循环系统整体设置提出要求。

生产用水循环系统中设置回水罐,是为了对生产用水进行汇集、沉淀分级和储存。

回水罐通常包括混水罐一台、清水罐一台或多台。

7.5.4 沉渣池的设置是为了回水罐及时排渣,若沉渣池设于室外,设计时需要考虑防止突发情况导致沉渣池内废水外溢的措施。

7.5.9 回水中若含有油脂会导致板坯分层,破坏产品质量。

7.6 加压、预养、脱模与蒸压养护

7.6.1 对板坯进行加压目的是提高板材平整度、密度和强度。

7.6.8 放置蒸养垫板是为了板坯快速均匀受热。

7.6.17 清理及接收整理装置是为了使模板码放整齐后由堆垛小车带回至堆垛机处进入下一循环。

7.7 烘干、砂光与磨边倒角

7.7.4 烘干机的速度可根据板材厚度与板材密度进行调整。

8 电气及自动化

8.1 一般规定

8.1.1～8.1.3 电气及自动化设计应综合考虑、合理确定设计方案。在满足工艺要求的前提下，本着既符合国情又要体现技术先进、经济合理、管理维护方便、安全的原则。在确定设计方案时应近、远期结合，考虑工厂扩建的可能性，在可能的条件下适当留有扩建余地，做到运行可靠、操作灵活、布置紧凑、维护管理方便安全。

在确定设计方案及设备选型时，应考虑粉尘污染的因素，提高设备的防尘性能，确保设备的安全运行。

电气及自动化专业设备和技术发展快，生产厂家多，设备选型应选用技术先进、性能可靠、节约能源的产品，注意行业技术发展动态，杜绝淘汰产品的使用。为保证电气设备安全可靠运行，设计中所选用的产品，一定要符合现行国家或行业部门的产品标准。

8.2 供 配 电

8.2.1 供配电系统的设计本着保证人身安全、供电可靠、电能质量合格、技术先进和经济合理的原则，根据供电容量、工程特点、地区供电条件等合理确定设计方案。

8.2.2 条件允许时应首选采用单电源供电，用柴油发电机作保安电源。

供电系统设计应简单可靠，便于操作及维护。高低压配电方式均应以放射式为主，以保证供电的可靠性。对于同一电压供电系统的变配电级数，在满足使用的条件下，不宜多于两级。

8.2.3 供电电压等级，应根据设计规模及当地电网的条件，经过技术比较后确定。纤维增强硅酸钙板工厂采用10kV电压供电即可满足要求，对于当地电网只能提供6kV、20kV或35kV电压供电时，也可选择采用。

8.2.4 无功功率补偿应满足供电部门要求。根据实际情况采用高、低压集中补偿与现场就地补偿相结合的方法，可取得良好的补偿效果。

8.3 变　电　所

8.3.1～8.3.3 根据工厂多年运行经验，对变电所接线及变压器设置，作了一般规定。

8.3.4 本条对变电所的交流、直流操作电源作了规定。在设计中，交流、直流操作电源的确定，既要保证供电的可靠性，又要节约投资，二者不可偏废。

8.4 厂区配电线路

8.4.1 本条是依据经济合理及减少土地资源占用的原则制定的。

8.4.2～8.4.5 这三条规定了厂区配电线路的设计原则，从技术规范的角度强调技术经济指标。厂区配电宜采用电缆线路为主。

8.5 车　间　配　电

8.5.2 本条是为保证同一生产流程设备运行的可靠性作出的规定。

8.5.3 车间内单相负荷应尽可能均匀地分配在三相中，是为了防止变压器中性线电流超过规定值。

8.5.4 本条对电动机的起动作出了规定。

有调速要求的生产机械，电动机的起动方式应与调速方式一并考虑。绕线型电动机宜采用转子回路接液体变阻器方式起动。

8.5.5 本条对电动机的调速作了规定：

1 电动机的调速方案很多，在确定调速方案时，应从调速范围、调速性能、节能效果、使用维护、投资多少等各方面进行技术经济比较后确定最佳方案。

2 本款对风机及水泵类电机的调速作了规定。

3 对调速设备应采取相应的措施，抑制调速设备产生的有害谐波。

8.5.6 电动机的保护，应符合国家现行有关标准规范的要求。低压交流电动机应装设短路保护、接地故障保护、过负荷保护、断相和低电压保护等。

8.5.7 本条对电动机的控制作了规定。

1 对生产上有关联的控制点、操作岗位之间应设置联络信号，以保证生产的正常运行和设备运转安全。

2 设备集中控制时设置起动信号，主要是为了保证人身安全。生产中联系密切岗位应设联络信号，一般采用声、光信号。通信量大的岗位间可设对讲电话，以保证及时协调生产中出现的问题。

3 在机旁设带钥匙的停车按钮，当设备检修时，将带钥匙按钮锁住，此时在控制室与机旁均不能开车，从而保证检修人员的安全。

5 检修电源回路，宜就地设保护开关及漏电保护装置，主要为了保证检修时的人身安全，防止触电事故发生。

8.5.9 车间配电线路的敷设方式，要注意使用条件和环境条件及特点。导线截面较小并且比较重要的控制、测量、信号回路以及不宜使用铝导体的场所，应采用铜芯导线或电缆，主要是为了节约有色金属和保证机械强度。

4 对温度较高的区域，需敷设配电线路时应按照本款要求执行，采用阻燃电缆并采取保护措施，防止发生事故。

5 交流回路中单芯电缆不应采用钢带铠装电缆或磁性材料保护管，防止因涡流效应引起的发热。

6 配线用保护管的直径，楼板内暗配时，不得小于 15mm。

主要考虑小直径保护管机械强度低，施工时易变形，造成穿线困难损坏绝缘。

7 穿管绝缘导线或电缆的总截面积包括保护层。

8.6 照 明

8.6.1 本条对建筑物的照明设计作了规定。

1 按现行国家标准《建筑照明设计标准》GB 50034 的有关要求，纤维增强硅酸钙板工厂实施绿色照明要以人为本，做到技术先进、经济合理、使用安全、维护管理方便。

2 照明设计时应注意照明光线被梁、柱遮挡，影响照明效果，同时注意与各相关专业的配合，以满足所需照度值。对于粉尘大的车间，难于及时打扫，设计时应计入相应补偿系数。

4 对温度较高的区域，灯具及管线接近高温时容易损坏，因此灯具设置应远离这些场所。

8.6.2 由于电压波动对照度影响较大，故对电压值规定，不宜高于灯具额定电压的 105%，不宜低于灯具额定电压的 95%。

本规范附录 E 是根据现行国家标准《建筑照明设计标准》GB 50034 的规定，结合纤维增强硅酸钙板工厂的情况，对最低照度进行规定。补偿系数是参考现行国家标准《建筑照明设计标准》GB 50034 的维护系数进行换算的。

3 对于纤维增强硅酸钙板工厂中的特殊环境场合，在设计中除满足照度要求外，还应体现统一眩光值(UGR)及一般显色指数(Ra)的要求，这是根据现行国家标准《建筑照明设计标准》GB 50034 制定的。

8.6.3 本条对不同场合的灯具选型作了规定。

8.6.4 本条对三相线路中的最大负荷与最小负荷的电流差值的表述，以现行国家标准《建筑照明设计标准》GB 50034 的要求为准。

8.6.6、8.6.7 这两条是为用电安全而规定的。同时明确提出了纤维增强硅酸钙板工厂照明配电系统应采用 TN－S 系统，使全厂形成 TN－C－S 低压配电系统。

8.7 电气系统接地

8.7.1 接地可分为工作接地（功能性接地）、保护接地、防雷接地、防静电接地和屏蔽接地等。接地对电力系统和电气装置的安全及其可靠运行，对操作、维护、运行人员的人身安全，都起着十分重要的作用。所以，接地设计应严格遵循国家现行的有关规程、规范的要求，并执行工程建设标准强制性条文（工业建筑部分）有关接地的规定。

8.7.3 厂区低压电力网接地宜采用 TN 系统，这是根据多年纤维增强硅酸钙板工厂实际运行经验做出的规定。TN 系统，根据 N 线与 PE 线组合有三种型式，即①TN－S 系统，全系统的 N 线与 PE 线分开；②TN－C－S 系统，PE 线与 N 线是合在一起的，称为 PEN 线，但在某些用户端，PEN 线分成 PE 线和 N 线，一旦分开，以下线路中，不能再合并；③TN－C 系统，PE 线和 N 线一直是合在一起的。

三种接地系统适用于不同的场合。对于一个工程采用何种接地型式，应根据工程特点、负荷性质、习惯做法、工程投资等情况和重要程度，进行综合的技术经济比较后确定。

8.8 生产过程自动化

8.8.1 本条规定了纤维增强硅酸钙板工厂自动化设计的原则，对控制系统型式和控制重点工段宜采取的控制方式提出了要求。

条文中采用的计算控制系统可以是 DCS 系统，也可以是 PLC 装置，这对于提高纤维增强硅酸钙板工厂的自动化水平，提高产品质量、降低能损、提高生产率、保证生产安全提供了可靠的技术保障。

8.8.2 本条规定了控制室设置的基本要求。控制室是生产过程的监测中心，设计时应将控制室纳入规划，对大中型厂应设置中央控制室，小型厂应设置车间控制室。控制室应按照国家有关规定和规范的要求设置消防设施。

8.9 通 信

8.9.2 工厂内的通信系统是加强企业管理、组织和调度生产、及时处理问题并与外界联系的重要设施。本条规定了纤维增强硅酸钙板工厂通信系统的组成。

纤维增强硅酸钙板工厂通信系统的具体设置如电话站设计中交换机型式的选用，应根据当地市话局有关规定及各地区邮电部门的文件确定。电话用户数量的设计应留出足够的余量以利于以后发展。

调度电话是工厂中组织生产和企业管理的重要通信手段，确保调度功能的实现。

8.9.3 通信系统的接地设施，是为了保证设备及人身安全，同时也是为了保证通信质量的要求。由于通信设备信号弱，而且灵敏度高，容易受到干扰，所以有条件时应将工作接地、保护接地及防雷接地分开单独设置。如果受条件限制不能分开时，也可以合用接地装置，但此时接地线截面、接地电阻等一定要符合有关规定要求。

9 建筑与结构

9.1 一 般 规 定

9.1.1 建筑结构设计首先应满足工艺需要,保证对生产设备的保护、人员的安全,还应根据环境保护、地区气候特点,切实考虑自然条件对建筑设计的影响。

9.1.2 结构型式的选用应本着“技术先进、经济合理”的总原则,结合具体工程的规模、投资、所在地区施工水平、进度要求等因素综合考虑。在此基础上,应积极采用成熟的新结构、新材料、新技术,以提高工程的科技含量,降低工程造价、节能环保。

9.1.3 表 9.1.3 是根据现行国家标准《建筑结构可靠度设计统一标准》GB 50068 的要求,对纤维增强硅酸钙板工厂各建(构)筑物安全等级的具体划分。

9.1.4 根据现行国家标准《建筑工程抗震设防分类标准》GB 50223 的规定,建筑工程抗震设防共分为四类:特殊设防类(简称甲类)、重点设防类(简称乙类)、标准设防类(简称丙类)、适度设防类(简称丁类)。表 9.1.4 是按此分类,对纤维增强硅酸钙板工厂各建(构)筑物抗震设防等级的具体划分。

9.6 主要结构选型

9.6.1 确定基础方案是纤维增强硅酸钙板工厂结构设计的重要问题之一。在一般情况下,天然地基比人工地基经济,但对重型建(构)筑物和在某些特定条件下,天然地基不一定能满足设计要求和达到经济的目的时,应采用人工地基。

9.6.3 由于基础地坑排水不畅而基础长期处于泡水状态,导致基础不均匀沉降而影响设备使用,因此,设计时应考虑不均匀沉降带来的不利影响。

9.7 结构布置

9.7.1 在满足生产工艺要求和不增加面积的原则下，结构布置应力求传力的途径简单。

9.7.5 在大面积料压作用下，软土地基易发生较大的变形，从而引起附近建筑物基础位移、轨道开裂。因此应充分考虑堆料荷载所产生的侧向推移力，避免发生安全事故。

9.8 设计荷载

9.8.3 工艺应根据设备配置情况提出动荷载系数，计算设计荷载时应一并纳入。

9.9 结构计算

9.9.1 磨机基础允许差异沉降，现行国家标准《动力机器基础设计规范》GB 50040 中没有规定，根据实际工程经验并参考《水泥工厂设计规范》GB 50295 的相关内容，本条差异沉降定位 10mm 是可行的。

10 给水与排水

10.1 一般规定

10.1.1 本条规定给水排水设计的基本原则。国家水法明确规定，应实行计划用水和厉行节约用水，合理利用、开发和保护水资源。国家环保和水污染防治法也明确规定，要保护自然水域，执行废水排放标准，防止废水对环境的污染。因此，必须根据建厂地区水资源主管部门对水资源的总体规划，与有关方面协商对水的综合利用与协作。

10.2 给水

10.2.2 本条规定工厂的用水标准，包括生产用水量，工作人员生活用水量，冲洗、化验和绿化用水量以及未预见用水量等。

不可预见用水主要针对各种临时用水及系统渗漏等因素，适当留有余量。

10.2.6 本条规定水源选择的基本原则。为满足工厂正常生产生活用水的需要，水源工程设计应保证取水安全可靠，水量充足，水质符合要求，投资运营经济，维护管理方便。

10.2.7～10.2.10 取水工程中，对取用地下水应遵守地下水开采的原则，并确保采补平衡；对取用的地表水，枯水流量与水位的保证率及最高水位的确定是参照《室外给水设计规范》GB 50013 制定的。其中枯水位保证率的上限，本规范采用 97%。

10.2.11 为了保证工厂生产生活用水的安全可靠，对输水管线的安全输水设计本条作了明确的规定，当其中一条输水管线故障时仍能通过 80%的设计水量。

10.2.12 本条规定了生产给水系统的选择原则。循环回水（包括设备冷却水和蒸压釜冷凝水)可结合工厂的具体布置,采用重力流。生产用水重复利用率是根据多年设计与实践经验确定的,其计算式如下:生产用水重复利用率=生产间接循环回水量/(生产间接循环给水量+生产直接耗水量)×100%。

10.2.15 本条为强制性条文,必须严格执行。本条根据《工业企业设计卫生标准》GBZ 1 及《生活饮用水卫生标准》GB 5749 制定。当生产给水以生活给水为备用水源而使两者管道连接时必须设隔断装置,防止污染生活饮用水。

10.2.17 本条规定了设计用水计量的原则,对外购水总管、自备水井管、生产车间和辅助部门均应设置用水计量器具。各车间和公用建筑生活用水的计量均应单独装表。

10.3 排　　水

10.3.1 由于雨水污染轻,经过分流后可直接排入城市内河。若经过自然沉淀,可作为天然的景观用水,也可作为喷洒道路的降尘用水,提高地表水的使用效益。

将污水排入污水管网,并通过污水处理厂处理,可实现污水再生回用。雨污分流后能加快污水收集率,提高污水处理率,避免污水对河道及地下水造成污染,改善城市水环境,还能降低污水处理成本,这是雨污分流的一大益处。

10.3.2 本条规定工厂的污水应根据国家和地方的排放标准确定处理方案。但污水排放标准应取得当地县以上环保主管部门的书面意见。

11 蒸汽动力

11.2 生产用汽

11.2.4 本条是对生产用汽管道设置作了明确的规定。

1 纤维增强硅酸钙板工厂生产所用的蒸汽压力一般不超过1.6MPa，生产用汽管道可以采用符合现行国家标准《输送流体用无缝钢管》GB 8163 或《低中压锅炉用无缝钢管》GB 3087 的要求的无缝钢管。当蒸汽动力源采用外购蒸汽时，管道材料应根据外购蒸汽的压力和温度参数按照相关的管道标准选择相应的管道材料。

4 生产过程中蒸汽伤人的事故大部分都是放汽管、排汽管未接至室外或安全区域，造成出口排放蒸汽危害人员安全。本款从安全角度出发规定放汽管、安全阀排汽管应接至室外或安全区域，排汽管口处飞溅的高温冷凝水下落一定高度后，温度不会烫伤人员皮肤，该高度不应小于2.5m。

5 由于纤维增强硅酸钙板工厂生产所用的蒸汽温度较高，管道布置应考虑管道本身的热胀冷缩，同时还应考虑管道端点的附加位移。管道热补偿的方式有两种：自然补偿和补偿器补偿，考虑自然补偿构造简单、运行可靠、投资少的优点，优先采用管道的自然补偿。压力管道设计中常用的补偿器有三种："Π"型补偿器、波形补偿器和套管式补偿器、球形补偿器，"Π"型补偿器结构简单、运行可靠、投资少，在压力管道设计中广泛采用；波形补偿器补偿能力大、占地小、制作复杂、价格高，适用于低压大管径管道；套管式或球型补偿器因填料容易松弛，发生泄漏，蒸汽管道中很少采用。

6 蒸汽管道系统中支吊架的个数、位置和性质对管道系统的应力分布有很大影响。设计中应慎重对待支吊架的布置，以减少管道的应力。管道应力分析中应考虑管道上可能承受的荷载：包括持久性荷载（如压力和重力荷载）、临时性荷载（如风、地震、冰雪、阀门快速开关时的压力冲击）、位移荷载（如管道热胀冷缩、端点位移、支承沉降引起的荷载）、交变性荷载（如温差、摩擦力）。

10 纤维增强硅酸钙板工厂低压用汽设备为回水罐，有些地区冬季由于室外温度较低，为保证工艺配料的水温要求，需要在回水罐设置蒸汽加热装置。生产线回水罐的罐体本身高度及罐体基础高度有 20m 左右，回水罐加热用汽压力的设定应考虑此高度的因素，一般不低于 0.3MPa。

11.3 蒸 汽 源

11.3.4 若外购蒸汽参数高于工艺要求参数需要设置减压降温装置时，蒸汽计量装置应设置在减压降温装置前。

11.3.5 本条为强制性条文，必须严格执行。压力管道系统属于特种设备，一旦超压则非常危险。因此，从安全角度考虑，应设置安全泄放装置，以防止管道系统中任一部分发生超压事故。

12 采暖、通风与空气调节

12.2 采 暖

12.2.1 由于纤维增强硅酸钙板工厂每名工人实际工作占用面积较大，为 $50m^2 \sim 100m^2$，且作业种类划分属于轻度作业，故冬季室内采暖计算温度可降低至 10℃。

12.2.2 热水和蒸汽是集中采暖系统常用的两种热媒，且热水采暖比蒸汽采暖具有节能、效果好、设施寿命长等优点，因此本条规定厂区宜采用热水采暖。但对于严寒地区，高大厂房和收尘设备保温的需要，为节省采暖投资，在保证卫生的条件下，厂区也可以采用蒸汽采暖。

12.2.4 本条是对室外热力管网的规定。

1 厂区采暖热水管网，采用双管闭式循环系统，主要考虑闭式循环系统可防止系统内软化水流失，补给水量小，以达到安全、经济运行的目的。

2 本款规定了热力管网敷设的基本原则。从节省投资、减少占地及美观考虑以直埋敷设为宜，也可采用地沟敷设。因建设场地紧张或解决严寒地区水管防冻问题，常采用联合管沟方式。

无论直埋敷设或地沟敷设，其采暖入口的调节阀门宜装在室外阀门井内。室外设阀井有利于供热系统的调节和单个建筑检修放水。为保证工厂重点采暖用户的供热效果，在入口阀门井内应装设测量温度、压力的检测管座。

对于改建、扩建工程，地下管线复杂或新建厂因场地紧张，可采用架空敷设。若新建厂的场地条件允许，从节能、安全运行等方面考虑采用直埋敷设或地沟敷设为好，尤其是在严寒地区更是如此。

13 辅助生产设施

13.3 地　磅　站

13.3.3 秤体采用无坑基安装，可节约建设投资。

13.4 机电维修车间

13.4.1 本条规定了机电维修车间应有的装备种类。装备还常与外部协作条件有关，有良好的协作条件时，不常使用且占用资金的维修设备可不予设置。

13.4.2 电气修理的设置以能满足大型低压设备的大、中修为主，大型高压电机及大容量的电力变压器的大、中修应以外协解决为主，仪表的修理应以常用仪表为主，高端的自动化仪表亦应通过外协解决问题。

14 节　能

14.1 一般规定

14.1.2 各节能措施之间相互协调，可以充分发挥节能效益，使工程项目的整体节能效果最佳。

14.2 工艺、装备节能

14.2.4 经济合理地确定隔热与保温材料及结构形式和厚度，目的是力求减少热损失，达到节能的效果，又能节约资金，提高投资效益率。

14.4 节　电

14.4.1 变电所位置靠近负荷中心，可以减少配电级数，缩短供电半径，降低线路损耗。

14.4.2 合理选择电机容量，使设备接近满载运行，以提高用电设备的效率是节能工作的关键。采用新型高效电机和使用变频器是电机节能的主要方式。对于无调速要求的大功率电机应采用电机节电器、进相机、电容就地无功补偿等设备进行无功补偿，以降低设备能耗。

15 环 境 保 护

15.1 一 般 规 定

15.1.2 应将粉尘大、湿度大、噪声大、有化学气味污染的工序所在区域与其他区域隔离，并应配备收尘、除湿、降噪、去味设施。

15.1.3 对于各类污染物的排放，国家和地方都有相应的排放标准。但对于国家重点保护的地区，如文物古迹集中区、旅游区、生态保护区等，地方的排放标准会更严格，企业应按照国标或地标中更严格的排放标准执行。

15.3 大气污染防治

15.3.2 燃料或含能原料中硫含量超标时，应对烟气中的二氧化硫进行处理。

15.4 固体废弃物污染防治

15.4.1 对于成坯后的板材产生的边角料，可通过破碎、粉磨等处理工艺将废料制成适合的粒径，重新投入纤维增强硅酸钙板生产；对于沉淀池中的淤积物，可进一步脱水、干燥和粉碎，掺入一定量活性物质制成保温材料。

15.4.2 厂区宜设置固体废弃物的存放场所，堆存处应有良好的防雨、排水系统。

15.5 噪声污染防治

15.5.2 根据声源特性及发声规律，可采取隔声、吸声、消声、减振、密封等措施。

15.5.6 隔振方法可以采用在被隔振设备和支承结构之间，设置如钢弹簧、橡胶制品、软木或乳胶海绵等减振器或减振材料。

16 职业安全卫生

16.5 防 雷 击

16.5.2 防雷设计要对当地地质气象状况做出精确统计，对需要防雷的建筑物进行分类，其分类标准应符合《建筑物防雷设计规范》GB 50057 中相关条款。

防雷设计应认真调查了解当地气象及雷电活动情况，做到既要保证安全，又要经济合理。本规范对各建筑物，依据其生产性质、发生雷电事故的可能性及其后果，按防雷要求进行了分类。各类建筑物的防雷设计应符合国家现行有关规程及规范的规定。

16.5.3 处于多雷暴地区的厂房、宿舍、办公楼均属于二类防雷建筑。多雷暴地区且具有火灾爆炸危险的工厂设施应按一级防雷设置，因防雷装置的提高并不占用很大投资，所以在防雷建筑分类时，处于模糊界限中的建筑可按高一级防雷设置，确保安全。

16.8 防 尘

16.8.4 本条为强制性条文，必须严格执行。砂光、磨边倒角工段为干法生产，易产生大量粉尘，对作业环境造成污染，影响到操作人员的身体健康，因此必须设置收尘设备。